Senhora dos ares

Pedro Siqueira

Senhora

dos ares

A jornada de um jovem em busca de autoconhecimento e fé

Copyright © 2012, 2017 por Pedro Siqueira

Todos os direitos reservados. Nenhuma parte deste livro pode ser utilizada ou reproduzida sob quaisquer meios existentes sem autorização por escrito dos editores.

As passagens bíblicas deste livro foram retiradas da Edição Pastoral da Bíblia Sagrada, da editora Paulus.

copidesque
Gabriel Machado

revisão
Ana Grillo

projeto gráfico e diagramação
DTPhoenix Editorial

capa
Angelo Allevato Bottino

imagem de capa
Ultraforma / Getty Images

impressão e acabamento
Lis Gráfica e Editora Ltda.

CIP-BRASIL. CATALOGAÇÃO NA PUBLICAÇÃO
SINDICATO NACIONAL DOS EDITORES DE LIVROS, RJ

S628s   Siqueira, Pedro
             Senhora dos ares / Pedro Siqueira; Rio de Janeiro: Sextante, 2017.
             256p.; 16 x 23cm.

             ISBN: 978-85-431-0486-7

             1. Ficção brasileira. I. Título.

                                                   CDD: 869.93
17-39349   CDU: 869.134.3(81)-3

Todos os direitos reservados, no Brasil, por
GMT Editores Ltda.
Rua Voluntários da Pátria, 45 – Gr. 1.404 – Botafogo
22270-000 – Rio de Janeiro – RJ
Tel.: (21) 2538-4100 – Fax: (21) 2286-9244
E-mail: atendimento@sextante.com.br
www.sextante.com.br

Para Ênio e Dulce.

Para João Antônio e Natália.

CAPÍTULO I

Cerimônia

Órfão. Foi exatamente o que pensei quando vi o caixão prestes a descer à cova. Algo impróprio para uma pessoa da minha idade, mas as emoções muitas vezes nos tomam sem aviso ou preparo. O impacto daquela cena fez reavivar, na minha alma, dores infantis ainda não curadas.

A bandeira americana, estendida no tampo, era ajeitada pelo sacerdote idoso que, em suas vestes negras, se preparava para fazer uma leitura da Bíblia. O cenário seria belo se não fosse o enterro do meu pai. Não me sentia bem. Minhas pernas tremiam, às vezes nem pareciam mais fazer parte do meu corpo. Tinha a impressão de estar distante de mim mesmo, pairando sobre as árvores, quase tocando as pouquíssimas nuvens no céu.

– Hoje meu melhor amigo está partindo em direção ao Paraíso! Não tive irmãos de sangue, fui filho único, mas Deus me deu este aqui – disse o homem, batendo a mão gentilmente no tampo do caixão.

Algumas senhoras retiraram os lenços de suas bolsas para enxugar as lágrimas com delicadeza, evitando borrar a maquiagem.

Verdade, foram amigos inseparáveis. Ao longo da vida aquele homem vivera intensamente ao lado do meu pai. Passaram por muita coisa juntos. Sua amizade com Mark Connors, brigadeiro da Força Aérea americana, surgira muito antes do meu nascimento. Lembrei-me de suas histórias sobre a Segunda Guerra Mundial e das aventuras religiosas também. Que mistura: guerreiros espiritualizados! Um conceito difícil de imaginar que pudesse existir quando não se conhecia a vida deles. Como sujeitos tão destemidos podiam ter um coração de ouro, a ponto de doar suas vidas em caridade para com os demais?

– Não vou ficar discursando sobre as qualidades militares e cívicas do brigadeiro Connors. Todos sabem muito bem que tipo de homem ele foi. Vou apenas ler uma passagem importante do Evangelho. Só para situá-los, estive meditando sobre ela pouco antes da morte de Mark.

O homem tomou um pouco de ar para dominar sua emoção e pigarreou, jogando a cabeça para trás. Uma leve brisa começou a soprar em sua direção.

– Evangelho de São Marcos, capítulo 12.

Ergueu os olhos para a assembleia, verificando se alguém identificava a passagem bíblica. Não obteve retorno, então baixou os olhos para o texto em suas mãos. Segurou com o polegar a borda da página, evitando que o vento a virasse.

– "Jesus respondeu: 'Vocês estão enganados, porque não conhecem as Escrituras nem o poder de Deus. Com efeito, quando os mortos ressuscitarem, os homens e as mulheres não se casarão, pois serão como os anjos do céu. E, quanto ao fato de que os mortos vão ressuscitar, vocês não leram, no livro de Moisés, a passagem da sarça ardente? Deus falou a Moisés: 'Eu sou o Deus de Abraão, o Deus de Isaac e o Deus de Jacó. Ora, Ele não é Deus de mortos, mas de vivos! Vocês estão muito enganados.'"

O sacerdote abriu um sorriso enviesado de tristeza.

Seguiu-se um silêncio partilhado até mesmo pelos pássaros nas árvores. O vento tinha se intensificado e era o único que não descansava. Todos os presentes prestavam atenção no esbelto cardeal que, antes de ser nomeado pelo Vaticano, havia sido frade capuchinho. Apesar da idade, o volume de sua voz e seus movimentos vigorosos eram admiráveis. Sempre me impressionaram a força física e a disposição daquele homem. Eu ainda era criança quando o conheci, mas ele não parecia ter mudado muito desde então, com exceção dos cabelos, que haviam se tornado prateados, e dos olhos azuis que se acinzentaram.

Ao seu lado, frei James, outro sacerdote de hábito capuchinho, que também era amigo de meu pai, olhava fixamente para o caixão. Tinha as mãos entrelaçadas sobre a barriga. Estava visivelmente emocionado. Não pronunciava nenhuma palavra e dava para ver seus olhos avermelhados de choro. Os lábios estavam retorcidos, também lutando contra as lágrimas.

Ele era imenso. Mais alto do que o cardeal e muito mais largo, com mãos e pescoço enormes. Uma barriga proeminente despontava, mas o homem andava sem nenhum esforço. Sua pele negra parecia brilhar ao sol. Bondade e mansidão estavam explícitas em seu rosto.

O cardeal, que acabara de falar coisas belas, olhou em sua direção e fez menção de lhe passar a palavra. Entretanto, ele rapidamente fez um sinal negativo com a mão espalmada, avisando que não conseguiria discursar sobre o amigo morto. O cardeal, então, continuou seu ofício:

– Eu e meu querido irmão, Mark Connors, nos questionávamos se partiríamos para o céu ou o purgatório. Não sabíamos se, diante do Altíssimo, nossos pecados iriam pesar mais do que nossas boas ações. Agora preciso partilhar algo importante com vocês: não tínhamos a menor dúvida de que, quando o anjo da morte se apresentasse em nossas portas, viveríamos eternamente.

Deu um pequeno sorriso de vitória, fixando o olhar nos militares perfilados no gramado. Nenhum deles lhe retribuiu. Pareciam não prestar muita atenção no fraseado do religioso.

– Tínhamos certeza de que, quando nossos caixões fossem depositados no solo, não estaríamos mortos diante de todos, mas vivos, bem longe dos olhos humanos! Libertos, renovados para a eternidade, rumo ao Pai Celestial.

Interrompeu o discurso e olhou diretamente para o sol da manhã, que despontava grande como um holofote.

– Hoje, então, é um dia de festa para os que creem.

Virou-se para o enorme frade, que agora fitava o chão, e segurou com força em seu ombro, dando-lhe um pequeno sacolejo. Conseguiu que, da boca do gigante, surgisse um pequeno sorriso.

– Mark nasceu para uma vida nova. Está no céu, tenho certeza. Imagino que esteja esperando por mim. – Desviando os olhos das pessoas que circundavam a sepultura, fixou-os no caixão e, em tom suave, acrescentou: – Em breve estaremos frente a frente! Continuaremos nossa caminhada eterna juntos! Até logo, meu irmão...

Ele baixou o rosto em direção à grama, regando-a com duas lágrimas cristalinas, que antes reluziram em seu rosto sereno.

Fechou a Bíblia e colocou-a no bolso do paletó. Colocou os fartos cabelos brancos para trás e pousou os olhos de aço no meu rosto. Andou até mim com passos firmes e velozes. Não pude encará-lo, preferindo fitar seus pés. Ele era um pouco mais alto do que eu. Segurando minha cabeça, beijou minha testa.

– Você sabe que é um filho para mim. Enquanto eu servir para alguma coisa neste mundo, conte comigo. Sabe onde me encontrar. Esta semana vou pregar em um retiro para um grupo de padres recém-ordenados. Mas, a partir do próximo mês, estarei de férias aqui na diocese de Boston, no convento capuchinho. Em seguida, retornarei para a Itália. Se quiser, venha ficar comigo em minha casa, no Vaticano. Se preferir, há uma comunidade de padres ali perto, posso lhe arrumar hospedagem.

– Muito obrigado. Sei que posso contar com você. Será sempre parte da minha família. – Foi tudo o que consegui dizer naquele momento terrível.

– Não se preocupe em falar nada agora, garoto! De qualquer maneira, você já sabe: frei James está aposentado de suas funções, mas mora no convento aqui de Boston. Ele adora suas visitas e espera que elas continuem. Só não está conseguindo falar muito porque a emoção o emudeceu.

O gigante havia se aproximado e me abraçou, esmagando minhas costelas, erguendo-me do chão como se eu fosse um menino bem pequeno.

Com muito esforço, James falou:

– Rafael, nossos treinos de boxe e nossa caminhada matinal continuam de pé! Sabe que sou um homem muito velho e fraco, preciso de você para me incentivar nos exercícios físicos, do contrário ficarei entrevado e serei inútil aos irmãos do convento.

Dei uma pequena risada. Só ele mesmo para me fazer sorrir em um momento tão ruim. Nós três sabíamos que o discurso não era verdadeiro: ele tinha um preparo físico inacreditável e era meu professor de boxe.

– Já está bom, James. Não vá quebrar os ossos do Rafael! Ele ainda precisa cumprir um longo protocolo por aqui. Quanto a nós, vamos embora, já está tarde e precisamos chegar para a oração no convento.

Os sacerdotes não ficaram até o fim da cerimônia. O cardeal carregou o outro para longe e saíram caminhando suavemente por entre os militares, em direção ao carro que os esperava na pequena rua logo abaixo.

Fiquei parado, observando a partida daqueles dois homens que tanto amaram meu pai. Entraram no automóvel e, com um aceno, sumiram de vista. Meus olhos retornaram para os militares à minha frente. O discurso religioso proferido ali continha palavras inspiradas. O problema era que meu coração tinha dúvidas a respeito de tudo aquilo. Não conseguia acreditar que um dia reencontraria meu pai, vivo, em alguma espécie de paraíso.

Aliás, naquele momento me dei conta de que os sacerdotes amigos nunca tentaram me converter à sua religião. Quando estávamos juntos, tratávamos de assuntos do cotidiano. Conversávamos até mesmo sobre a medicina, minha área de atuação. Eram homens lúcidos, com uma experiência de vida incrível. Sabiam dar conselhos especiais, cada um a seu modo. Acho que era por isso que eu gostava tanto deles: eram muito humanos!

Era o fim da existência terrena de meu pai. Eu, sim, continuava vivo, mas ele não estaria nunca mais comigo. A dor desse raciocínio era perturbadora. Decidi que seria melhor prestar atenção nas aves nos galhos das árvores e no belo dia ensolarado.

O caixão foi, aos poucos, sendo coberto pela terra no fundo da cova até desaparecer. Eu disse a mim mesmo em voz baixa:

– Mark Connors, brigadeiro da Força Aérea americana, morto aos 87 anos.

Era o fim de um homem velho. A idade, todavia, não era uma boa desculpa para o Universo tirá-lo de mim. Idoso? Quem percebia seu vigor e desenvoltura dificilmente acreditava. Ele parecia eterno. Nos outros homens, talvez os 87 anos pudessem significar a hora de partir. No meu pai, não! Tinha sua rotina de exercícios físicos e as palestras com temas militares. Dava aulas de catecismo na paróquia perto de sua casa e ajudava os moradores de rua junto com frei James. Seus dias pareciam ter mais do que 24 horas. Não sei como dava conta de tantas atividades ao mesmo tempo.

Quando o questionava sobre os inúmeros afazeres, vinha sempre com a mesma resposta:

– Comprometimento e eleição de prioridades, meu filho. O segredo está aí. Homem sem disciplina não é digno de receber missão. Quem não sabe administrar seu tempo não chega a lugar algum.

Eu retrucava dizendo que não estava mais na ativa, era um militar reformado. Ele dava gargalhadas.

– Ativa e reforma são coisas da vida terrena, que a carreira militar nos impõe. Eu nunca estarei aposentado para aquilo que Deus quer de mim! Por isso sou muito feliz. Vivo cada dia por vez.

Meu coração estava partido. Se o que eu estava vivendo ali era obra de Deus, queria afrontá-lo. Com tantos homens idosos de vida desgraçada, com tanta gente imprestável pelo mundo, por que tirar a vida de meu pai? Ele não era um grande servo de Deus? Será que o Criador não dava privilégios aos seus? Será que não significava nada ser um homem cumpridor do Evangelho? E o pior: colocar no corpo do meu pai aquela doença horrorosa! Ele secara como uma planta sem rega. Definitivamente eu queria distância de Deus.

Bastava fechar meus olhos para enxergar os dele. Suas palavras grudavam em minha mente desde que eu era um menino. Não havia como esquecê-las. Não sei se era pela sabedoria ou veemência com que eram proferidas. Seu efeito era sempre benéfico, mesmo ao me corrigir. Algumas até anotei em um diário, pois eram muito originais e criativas. O melhor de tudo, penso, era o amor. Ele havia acabado de partir, mas eu já sentia uma saudade brutal.

Seguiu-se a salva de tiros. Despertei do meu estado de transe. A cerimônia parecia transcorrer normalmente. O vento havia aumentado bastante e parecia me empurrar para a realidade. Procurei não olhar muito para os idosos, que choravam silenciosos perto das árvores. Era uma dor bem evidente, mas não queria ser contagiado pela tristeza daquele instante. Já estava passando por uma dificuldade enorme tentando domar meus sentimentos.

Encarcerar a saudade dentro de si é uma grande ilusão. Não é uma ação possível. Ela toma conta de todo o nosso ser. Não existe um homem mais forte do que ela, que possa confiná-la em um compartimento, isolando-a de todo o resto, para evitar danos. Tinha a nítida impressão de que, a contragosto, minha saudade estava estampada no rosto, para que todos os amigos de meu pai pudessem ver. Como era fácil perscrutar meu estado de espírito!

Coloquei-me na posição exigida pelo protocolo para receber os cumprimentos dos presentes. Todos sem exceção me falaram das grandes qualidades do meu pai. Um verdadeiro guerreiro dos ares, com várias condecorações, que muito honrara a Força Aérea dos Estados Unidos. Líder de um famoso esquadrão, com mais de setenta missões cumpridas durante a Segunda Guerra Mundial.

O câncer o levara rapidamente, três meses após o diagnóstico. Como sou neurologista, quando li o laudo de seu exame, logo percebi o tamanho do problema. Obtive uma licença do hospital público em que trabalhava, fechei momentaneamente meu consultório em Botafogo, no Rio de Janeiro, e me mudei para Boston. Foi a melhor coisa que fiz. Pude, nesse pouco tempo, aprofundar ainda mais a intimidade que tinha com meu pai.

Aprendi mais sobre sua carreira militar e a história de cada uma das interessantes medalhas de guerra que ele recebera. Em detalhes, que nunca antes contara, ele falou como conhecera minha mãe, uma brasileira. Ele adorava também conversar sobre as coisas do espírito. Partilhou comigo sua filosofia de vida e disse claramente o que esperava de mim. No meio de tanta informação, uma coisa chamou minha atenção.

Nos meus anos de medicina, em praticamente todos os dias de trabalho, havia lidado com pacientes terminais. Em todos eles identificara um enorme receio da morte. Havia concluído que ninguém, por pior que estivesse, queria morrer ou, pelo menos, sentia-se confortável com essa ideia. Poderia ser medo do desconhecido ou descrença numa existência além da realidade em que vivemos.

De qualquer modo, nenhum deles sabia o que iria encontrar depois da morte. Já meu pai, durante seus pouquíssimos meses finais, não manifestou ou demonstrou o menor temor, apesar de saber que não escaparia da doença. Exibia uma expressão confiante e falava com voz serena, como se soubesse para onde estava indo.

Um dia, perguntei-lhe se não estava com medo da morte. Ele apresentou mais uma de suas frases de impacto:

– Nunca fui medroso. Não será agora, velhote, que isso vai mudar. Continuo a não ter medo de nada. E você, meu filho? Está com medo?

– Pai, não sou eu que vai morrer. Por que deveria ter medo da morte?

– Da morte? Não, Rafael, não estava me referindo à morte. Falta muito para a sua.

– Então não entendi sua pergunta, pai.

– Medo da solidão – sussurrou ele.

Até aquele momento não havia me questionado sobre meus sentimentos mais profundos, sobre a partida de Mark. No fundo não queria aceitar que ele me deixaria num curto espaço de tempo. Enquanto ele estava ali, mesmo doente, eu me sentia protegido. Coisa mais estranha! Meu pai era um homem tão forte que, mesmo em seu momento final, me transmitia coragem e segurança.

Através de sua aguçada sensibilidade, ele captou que eu estava profundamente abalado com sua morte iminente. Conseguiu entender que o câncer dele devorava meu equilíbrio psicológico de forma cruel e eu não queria me confrontar com aquela situação. Tinha toda a razão: meu coração se sentia abandonado, solitário, sem socorro.

– Não gosto de pensar que você vai embora, pai. Preferia que ficasse comigo um pouco mais – afirmei com dificuldade.

Ele estendeu a mão e segurou minha cabeça, trazendo-a para junto do peito, que subia e descia de forma ofegante. Aquilo me machucou demais. Connors sempre fora um atleta exemplar, mesmo depois dos 70 anos. Sua forma física era invejável. Agora era pele e osso.

Meu pai se manteve calmo durante todo o período em que estivemos juntos. Suas palavras eram plenas de força e sobriedade. Até mesmo no dia de seu falecimento, apesar de toda a dor que seu corpo expressava, estava absolutamente sereno. Algo raro de se ver na atualidade: um homem em paz consigo e com o mundo.

Enquanto trocávamos palavras em tom de despedida, ele não demonstrava nenhum tipo de insegurança. Queria que eu entendesse que estava tudo certo, nos trilhos traçados por Deus.

– Rafael, há muitos anos sou amigo de Deus. Sei que Ele tem um lugarzinho legal para mim. Deve, inclusive, mandar alguns de seus eleitos para me recepcionar assim que eu deixar este corpo doente.

– Pai, fico feliz que pense assim. Mas acho que essas ideias são fabricadas pelos homens. Ninguém sabe com exatidão o que acontece quando uma pessoa morre. Prefiro não conjecturar nada.

– Aí é que você se engana. Homens sábios que existiram antes de nós sabiam muito bem o que se passa depois da morte. Aprendi com eles. – Meu pai deu um leve sorriso.

Por um momento ele quase me convenceu de que realmente tinha o conhecimento exato do local para onde iria no instante em que seus olhos se fechassem. Mas, infelizmente, mesmo para o grande brigadeiro Connors, aquilo não era possível. A discussão fatalmente cairia nas questões de fé. Coisa que eu não tinha.

Na véspera de sua morte, quando percebeu que havia chegado a hora, entregou-me um envelope magenta. Tinha meu nome escrito no verso e, na frente, as seguintes palavras: "meu último desejo". Enfatizou que eu só deveria abri-lo no final da semana, quando ele já não estivesse mais entre os vivos. Isso me causou grande estranheza. Como aquele homem podia saber o momento em que iria morrer? Quem o teria avisado? Por que falar comigo através de uma carta se eu estava ali com ele, em sua casa, o tempo todo? Imaginei que teria algo a ver com a herança ou fosse um segredo sobre o qual não queria se explicar pessoalmente.

Lembro que fiz menção de abrir imediatamente a carta. Não tinha sentido aquele suspense todo. Ele não gostou e, incisivamente, ordenou-me que só abrisse o envelope depois do seu enterro, quando eu estivesse sozinho em casa. Eu o sopesei; era uma correspondência bem leve. Fiquei ainda mais curioso, mas, como de costume, obedeci às ordens do brigadeiro.

Quando retornei do cemitério, a primeira coisa que fiz foi abri-lo. Dentro, encontrei um papel branco sem linhas, com palavras escritas a caneta preta, numa caligrafia trêmula. A mensagem era bastante econômica. Ele provavelmente a redigira durante sua doença – eu podia apostar que nos seus três últimos dias. O improviso e a pressa estavam patentes nos rabiscos.

Em nenhum momento, morando na mesma casa, eu percebera que ele tinha preparado um bilhete pós-morte. Estava claro que havia se aproveitado de alguma breve ausência minha, talvez a hora do banho. Mark Connors sempre fora um homem preciso e meticuloso no cumprimento de suas missões. A objetividade era traço marcante de sua personalidade. Nunca usava eufemismos nem fazia grandes introduções para seus assuntos.

Por causa disso, as pessoas o tinham como um homem severo, com coração de pedra. Quando pequeno, lembro que minha mãe precisava explicar por diversas vezes que o marido era um homem bondoso e caridoso, que tratava seus subalternos com muito carinho e, por isso, era venerado. Contou-me que os dois distribuíam sopa aos necessitados de um abrigo em Boston, mantido pela Igreja Católica local.

Direta ao ponto, a mensagem continha um simples comando: "Filho querido, antes de completar 50 anos, tome uma semana da sua vida e visite Medjugorje. Na Bósnia, reze para que a Rainha da Paz lhe mostre o verdadeiro caminho e o proteja. Em breve espero reencontrá-lo, junto com sua mãe, no céu. Beijos do seu pai, com amor."

Minhas lágrimas desceram quentes, copiosas. Não conseguia enxergar mais nada de tão borrado que tudo se tornou. Estivera me segurando durante os três meses em que o vira definhar. Depois, passei mais um sufoco na cerimônia religiosa. Tinha sido duríssimo me despedir de seus melhores amigos, os dois sacerdotes capuchinhos, e receber todos aqueles cumprimentos ouvindo elogios sobre sua personalidade. Sabia que ele não queria que me vissem chorando. Várias vezes havia me repreendido durante minha infância e juventude: "Nunca deixe que os outros o vejam chorando. É sinal de fraqueza, rapaz!" Logo em seguida, amenizando a bronca, vinha com um afago em meus cabelos.

Sentia-me sufocado. Para complementar, algo parecia dilacerar minha garganta e meu estômago. Aquela dor toda iria passar? Não sabia. Ali, em casa, tinha a impressão de que a morte de meu pai era um evento sem fim. A sensação era de derrota. Eu acabara de perder o homem que mais amara em toda a minha vida. Onde estava meu pai?

Mesmo sendo médico, diante da potência da enfermidade que se alastrara, eu nada pudera fazer. Não era para salvar vidas que eu tinha estudado tanto? Por que não conseguira cumprir minha missão? E o juramento que havia feito junto ao caixão da minha mãe, quando garoto? Quantas vezes tinha dito para mim mesmo que meu pai não sofreria da mesma forma? Não alcançara meu objetivo. Derrota.

Um pensamento ruim estava forte e onipresente: eu nunca mais iria ouvi-lo nem vê-lo. Tudo tinha terminado. Ele não existia mais. Seu corpo viraria pó, como já ocorrera com minha mãe, quando eu era ainda um moleque.

Depois de meia hora de choro, fui até a cozinha e preparei um chá japonês que encontrei em um dos armários laqueados. Procurei me acalmar e meditar um pouco sobre o que estava acontecendo. Quando voltei meus olhos vermelhos para uma das janelas, vi, pouco abaixo, uma das imagens dele de Nossa Senhora. Seu olhar bondoso e suas vestes brancas que transmitiam paz eram o oposto da situação pela qual eu passava.

Peguei-me repetindo para mim mesmo que não havia motivo para tanta tristeza. Meu pai tinha cumprido inteiramente seu papel naquela vida. Fora correto em tudo e com todos. Amara profundamente a família e me dera uma educação primorosa. Sem a menor dúvida, havia sido o homem mais honrado e condecorado pelo governo americano que eu já tinha conhecido. Recompus-me prontamente.

Como não tinha uma vivência religiosa, apenas tomei a imagem e a olhei de perto. Era uma bela obra de arte. Sentei-me em uma cadeira à mesa redonda da cozinha da casa que acabara de herdar. Coloquei a imagem em cima dela e fiquei pensando sobre a carta de meu pai.

Ainda não havia entendido com precisão o último desejo dele. Minha mente estava muito embaralhada com o turbilhão de coisas daquele dia. Será que a cor exótica do envelope também era proposital? Magenta? Como meu pai era detalhista, provavelmente tudo naquele bilhete continha um significado.

Coloquei o envelope na mesa. Depois de alguns minutos olhando-o, imóvel, decidi me deparar novamente com a caligrafia combalida do meu pai. Dessa vez resolvi ler com um cuidado redobrado. Fixei meus olhos nos nomes. Sabia muito bem que a Bósnia era um pequeno país europeu, resultante da separação de nações que compunham a antiga Iugoslávia. Essa era a única parte do escrito que, inicialmente, figurava com clareza para mim.

Medjugorje? Nunca ouvira ninguém mencionar esse nome. Poderia ser alguma pessoa que morava na Bósnia? Claro que não! Sacudi a cabeça, tentando afastar meu cansaço. Se fosse algum parente ou mesmo um amigo do meu pai, eu já teria me lembrado. Poderia ser uma cidade daquele país, que meu pai visitara nos seus tempos da ativa. Nada conclusivo me chegava. Definitivamente ele nunca havia se referido a nada com aquele nome.

Concluí que Medjugorje era uma cidade da Bósnia. O problema, contudo, permanecia. Em que parte do país ficava? Seria complicado chegar até lá? Levantei-me do sofá e caminhei pensativo até a biblioteca do meu pai. Mais de cinco mil volumes. Certamente haveria alguma coisa sobre a localidade em algum dos seus livros.

Acomodado em uma poltrona, passei alguns minutos encarando um grosso livro de geografia que continha um capítulo enorme sobre a Europa. Não consegui, infelizmente, encontrar praticamente nada sobre a Bósnia. Com relação à tal de Medjugorje, então, nem pensar. Não havia nenhuma referência. O último desejo de meu pai estava começando a ficar bem complicado de ser realizado.

Para não perder mais tempo, já que o sono começava a me derrotar, resolvi ligar o computador. Pesquisei na internet. Enfim encontrei o que queria. Não era exatamente uma cidade: não passava de uma aldeia, um pequeno povoado próximo da fronteira com a Croácia. Ficava em um belo vale, entre montanhas altas – aliás, esse era o significado da palavra Medjugorje: "entre montanhas". A foto panorâmica do lugar era muito bela.

Continuei minha investigação. Digitei "Rainha da Paz". Apareceu uma imagem de Nossa Senhora vestida de branco com a palavra *mir* estampada em dourado no peito, em cima de seu coração. Era idêntica à que eu colocara, momentos antes, sobre a mesa da cozinha.

Como minha mãe me explicara, Nossa Senhora tem mais de mil nomes, mas em qualquer situação é a mesma Maria Santíssima. Rainha da Paz era mais um. Pelo que sabia, porém, a Bósnia não era um país católico. Que ligação teria a pequena aldeia com a Mãe de Jesus? Por que ela ostentava tal título se a região havia sofrido com terríveis guerras? Aquilo aguçou minha curiosidade. Como o relógio já apontava duas horas da manhã e o dia havia sido emocionalmente desgastante, resolvi dormir com aquelas informações. Continuaria a me aprofundar no tema no dia seguinte.

Sonhei a noite toda com a morte de meu pai: seu caixão flutuava sobre a sepultura e a bandeira dos Estados Unidos voava para o céu até desaparecer. Assim que ela sumia de vista, eu caminhava pelo gramado do cemitério sem encontrar ninguém. Cansado, sentava-me sozinho e as lágrimas escorriam. O sonho era muito vívido e eu sofria muito com a solidão.

Assim que acordei, decidi dar um basta naquela tristeza toda. Precisava reagir! Troquei de roupa e, como já estava bem desperto, resolvi dar uma corrida pelos arredores do bairro para me purgar de todo aquele estresse, armazenado desde a véspera. Era outra coisa que havia aprendido com meu falecido pai: nunca ficar sem exercícios físicos.

A corrida se manteve em ritmo forte sem dificuldade. Após me alongar na entrada da casa, fui para o chuveiro. Antes do almoço, decidi que era hora de retomar o mistério do envelope. Com a cabeça bem mais leve do que no dia anterior, descobri na internet que, havia alguns anos, Nossa Senhora fazia aparições a um grupo de jovens de Medjugorje, sob o título de Rainha da Paz.

Entendi por que meu pai não tocara naquele assunto pessoalmente. Ele sabia que minha reação seria incrédula e não quisera comprometer nossos últimos dias juntos com discussões desnecessárias. A decisão havia sido sábia. Agora era comigo: ou eu cumpria seu último desejo ficando uns dias em Medjugorje, tentando entender sua devoção, ou voltava ao Rio de Janeiro, retomando minha vida.

Connors sabia muito bem o que eu pensava da metafísica. Como já havia lhe dito muitas vezes, eu acreditava na existência de um Ser Supremo, mas não nas religiões. Achava que existia algum tipo de vida após a morte, mas nunca quisera saber se haveria um céu ou um inferno à minha espera. Não tinha interesse em trabalhar na Terra pela minha salvação.

Sempre questionara como um militar aguerrido e disciplinado, de alta patente, havia se tornado religioso. O fato me impressionava tanto que, em uma das conversas logo que me mudei para sua casa nos subúrbios de Boston, para fazer-lhe as vezes de enfermeiro, perguntei por que tinha escolhido ser católico. Eu não conseguia identificar em que ponto de sua trajetória ele havia "trombado" com a fé.

A história que ele contou com toda a seriedade era fantástica. Não sei por que nunca a mencionara. Não entendi também por que minha mãe não tinha conversado comigo a respeito, se bem que eu ainda era muito pequeno quando ela morrera. Por um momento, após ouvi-lo, cheguei a pensar que não estava no seu juízo perfeito. A doença poderia ter comprometido sua memória. Enganei-me.

O início de tudo se dera na cabine da sua aeronave de combate, enquanto sobrevoava o interior da Itália para realizar um bombardeio, no final da Segunda Guerra Mundial. Aquele dia ficara marcado de modo negativo em sua carreira militar. Nele ocorrera sua única missão fracassada durante todo o período em que servira à Força Aérea dos Estados Unidos. Ao me contar a história, ele se referiu ao evento como "a missão divina".

CAPÍTULO II

Missão divina

Era uma tarde de outubro, em 1943. O céu estava azul, com poucas e pequenas nuvens brancas. As condições climáticas eram excelentes para o voo. Após decolar da base americana, o esquadrão de Connors não encontrou nenhum tipo de resistência por parte dos inimigos. Chegariam em poucos minutos à área-alvo determinada pelo Alto-Comando de Guerra dos Aliados.

Todos os envolvidos estavam um pouco nervosos. Nada de novo. A tensão era comum nos minutos que antecediam a execução de uma tarefa de combate. Mesmo os mais experientes ficavam ansiosos. O anjo da morte, como meu pai gostava de dizer, poderia selecionar qualquer um do grupo sem aviso prévio. Enfim, nunca dava para prever com certeza se todos os seis pilotos retornariam com vida à base aérea.

Quando os três caças atingiram a região do monte Gargano e avistaram o mar Adriático, na província italiana de Foggia, o tenente Bloom chamou Connors pelo rádio, num tom rígido:

– Capitão, algo muito estranho está se passando em uma nuvem mais adiante, à direita.

– Tenente Bloom, seja mais claro. Temos algum tipo de resistência? Quantos inimigos consegue visualizar? Não vejo nada de minha aeronave.

– Inimigos? Bem, não sei o que é aquilo, capitão. Parece... só um homem! Melhor o senhor checar pessoalmente.

Connors conhecia bem o tenente e estranhou que ele demonstrasse tamanho constrangimento.

– Bloom, poderia ser um objeto voador não identificado? – insistiu o capitão.

– Como falei, é um homem. Está sozinho no ar! – O final da frase do tenente Bloom foi praticamente inaudível.

– Capitão, agora avistei o inimigo. É gigantesco! Melhor abrirmos fogo antes que ele nos ataque! – O tenente Ramirez, da outra aeronave, aparentava estar um tanto abalado com o que via.

Connors mudou o rumo do pequeno esquadrão para poder enfrentar melhor a suposta ameaça. Finalmente o bico da aeronave de meu pai apontou para a polêmica nuvem. Nela pôde ver, com toda a nitidez, a enorme face de um homem, cuja cabeça estava coberta por um capuz marrom-escuro. Ele tinha um queixo proeminente barbado. Dava para notar claramente seu olhar profundo e irado.

– Seu moleque! Vire o avião e volte imediatamente para sua base aérea. Não se atreva a lançar uma bomba sequer aqui no meu convento – bradava o homem num inglês fluente, sem sotaque algum.

Todos na formação aérea puderam ouvir, em alto volume, a voz de trovão do misterioso homem enfezado. Até os caças estremeceram!

O pavor tomou conta de Connors. Na realidade, todos os militares do esquadrão ficaram aterrorizados. Como era possível aquilo?

– Vamos voltar para a base agora! – gritou meu pai pelo rádio, ao perceber que a enorme face se aproximava da formação, cada vez mais ameaçadora.

Em exatos treze minutos, os pilotos envolvidos na fracassada missão aterrissavam na base de origem. Após um breve instante no alojamento, foram convocados à sala do tenente-coronel Wilson, o comandante daquela organização militar. Os homens, ainda confusos, ouviram a voz pouco amistosa do seu superior:

– O que aconteceu?!

Ele não obteve resposta. Os homens, calados, continuaram perfilados na sua frente, em posição de sentido.

– Sinceramente, não consigo entender o que se passou. Um esquadrão capaz de cumprir algumas das missões mais perigosas desta guerra volta assustado de um simples bombardeio.

O comandante, profundamente irritado, enxugou o suor da testa antes de prosseguir com seu discurso.

– Que dia! – disse o homem a si mesmo, fazendo uma careta horrenda. – Está muito difícil para mim – continuou, olhando para as próprias botas. Erguendo a cabeça, em tom ameaçador, bradou: – Haja paciência! Vejam bem: vocês sempre foram meus guerreiros mais destemidos e ferozes. E agora são um bando de frouxos que abandonaram uma missão simples sem trocar um só tiro com as forças inimigas. – Wilson cruzou os braços, contendo a ira. – Querem saber o que mais me irritou? Fugiram amedrontados sem ao menos me consultar! Não receberam ordens superiores para abandonar o local.

O tenente-coronel, conhecido pelo pavio curto, começou a andar de um lado para outro.

– Gostaria que o senhor, capitão Connors, líder do vexame que acabei de presenciar, me desse uma explicação plausível.

Ele parou, bufando, a um palmo de distância do nariz de Connors, que permaneceu imóvel, com os olhos vidrados no nada.

– Coronel, uma força desconhecida nos interceptou em pleno ar. Já que não sabíamos como detê-la, decidi não colocar em risco meus comandados – explicou o capitão, olhando firmemente para o comandante.

Uma breve pausa se fez. Ele era o único capitão do grupo, mas todos sabiam que os demais tenentes seriam promovidos à mesma patente quando retornassem aos Estados Unidos. Mark havia sido o primeiro aluno de sua turma, por isso teve a honra de ser o primeiro a receber a promoção, pouco antes de embarcar para a Europa.

– Força desconhecida! – exclamou o comandante, com cara de deboche. – Gostaria que algum de vocês me desse a definição do que seria essa tal "força desconhecida".

O tenente-coronel foi passando lentamente pela fila de homens, encarando cada um com desaprovação. Todos olhavam fixamente para a frente, sem demonstrar preocupação. Ao perceber que não conseguia intimidar ninguém, o militar ficou ainda mais bravo.

Finalmente uma voz se pronunciou:

– Um sujeito com capuz marrom-escuro, barba e olhar feroz – respondeu Connors.

Espantados com a coragem do capitão, os demais o encararam. O tenente-coronel, que caminhava como um mastodonte pela pequena sala, fincou os pés onde estava, virando apenas os olhos para Connors.

– Não sei se entendi bem ou se vocês pensam que sou alguma espécie de palhaço.

O ódio com que concluiu a frase foi tamanho que suas bochechas ficaram vermelhas. Por sorte, naquele instante o comandante estava próximo à única janela do recinto, pois parecia que iria explodir feito um balão inflável.

Como se fosse um bailarino profissional, Wilson girou sobre o calcanhar direito e caminhou em direção aos rapazes. Parou bem próximo, em silêncio, tentando recobrar sua calma. Enfiou as mãos nos bolsos da calça. Parecia querer pronunciar alguma palavra, mas levou a mão à boca e desistiu. Sua respiração seguia em descompasso. Olhou, então, para o teto, tentando normalizar a pulsação.

Andou um pouco ao redor da fila dos seis aviadores que esperavam seu veredicto. O homem finalmente parou no centro da sala e voltou a cruzar os braços com firmeza, na tentativa de não se atirar em cima do grupo. Quando fez menção de falar, Bloom se manifestou:

– Coronel, uma cabeça gigante se formou no céu a partir de uma nuvem, sobre o monte Gargano. Era uma criatura com capuz marrom-escuro e barba. O olhar era terrível. A voz amplificada explodia em nossos tímpanos! Nunca ouvimos nada igual. As aeronaves chegaram a chacoalhar. Até meu painel, dentro do cockpit, vibrava como se estivesse ocorrendo um terremoto. Ela falava em inglês perfeito. Não sabemos explicar como conseguiu aquele efeito.

– Nunca ouvi uma história tão patética em toda a minha vida. O que mais me intriga é que todos vocês já foram condecorados por bravura em missões para as quais eu mesmo os designei! – repreendeu Wilson, com os braços pendentes ao lado do corpo, cansado da discussão infrutífera.

O tenente-coronel deu as costas aos militares enfileirados e voltou para sua escrivaninha. Puxou a cadeira, sentando-se. Retirou os óculos e esfregou os olhos, respirando fundo. Resmungou algo que ninguém conseguiu ouvir.

Por fim, pegou um papel e falou aos oficiais enquanto escrevia:

– Dez dias de detenção para cada um. Hoje mesmo mandarei uma mensagem a respeito do acontecido para o Alto-Comando. Eles vão decidir o que fazer com vocês. Dispensados!

Levantou os olhos para checar o impacto da notícia. Nenhum dos rapazes parecia surpreso.

Enquanto os jovens se retiravam da sala, Wilson voltou a falar:

– Se vocês fossem outros militares, eu os teria mandado direto à Corte Marcial para serem exonerados da Força Aérea. Considerem meu ato um grande presente. Uma nova chance, decorrente da minha bondade e admiração por vocês e suas condecorações de guerra.

Ele largou a caneta, que rolou pelo tampo da mesa até atingir o chão.

Ao serem dispensados pelo tenente-coronel, Connors e os demais foram encaminhados à prisão. Na verdade, como não havia local apropriado para a detenção de oficiais naquela base aérea, ficaram confinados em um alojamento pequeno, que continha três beliches e um pequeno banheiro. À porta, dois soldados montavam guarda. Eles só poderiam deixar o local com ordens expressas do comandante Wilson.

Após o primeiro dia de reclusão, vendo a tristeza de Connors, Bloom tentou melhorar seu humor:

– Mark, fique tranquilo. Você sabe que meu pai faz parte do Conselho do Alto-Comando de Guerra. A esta altura, ele já sabe que estamos presos. Provavelmente tomará alguma atitude a nosso favor.

– Bloom, não estou preocupado com esta prisão ridícula ordenada pelo comandante. Ela não trará nenhuma consequência para as nossas carreiras, a não ser que Wilson queira usar esse incidente para nos punir. Mas somos os melhores pilotos dentre todos desta guerra e o brigadeiro Garth, cabeça do Alto-Comando, sabe disso. Já servi com ele nos Estados Unidos. Foi ele que me designou para este esquadrão.

Connors olhava para o chão enquanto falava com Bloom. Os demais estavam sentados em suas camas, cabisbaixos.

– Então, meu amigo, qual é o problema? – questionou o tenente, confuso.

– Você não está preocupado em saber o que era aquilo? Nunca ouvi ninguém descrever algo parecido com o que vimos no céu, sobre o monte Gargano. Precisamos descobrir que espécie de arma era aquela e como enfrentá-la.

Connors se levantou e foi olhar pela janela. O silêncio dominou o alojamento.

– Aquilo era muito sinistro – quebrou o silêncio o tenente Ramirez. – Nunca deveríamos ter ido ao monte Gargano. Minha mãe, que entende de santeria, já havia me avisado para não sobrevoar essa região da Itália. Antes do nosso embarque, ela estava muito preocupada, pressentindo que algo ruim iria nos acontecer por ali.

– Ah, não me venha com outra bobagem cultuada pelos cubanos, Ramirez! Faça-me o favor. Acreditar que sua mãe previu o acontecimento que nos encarcerou aqui é demais! – Bloom logo o censurou.

Estava preocupado em evitar que as crendices do companheiro se espalhassem entre os outros. Palavras incautas poderiam diminuir ainda mais o moral da tropa.

– Não é nada "cubano" como vocês gostam de falar! Já disse que minha mãe é cubana, mas eu nasci em Miami. Sou americano como vocês. Agora, há coisas misteriosas que o nosso povo americano não compreende e que fazem parte da cultura cubana – retrucou Ramirez, ofendido.

– Não vá me dizer que sobre o monte Gargano existe algo de vodu ou coisa parecida. É só o que falta, Ramirez! – falou o tenente Kovaks, desanimado e descrente, da parte de cima de seu beliche.

– Não sei se isso está relacionado com as religiões do Caribe, Kovaks. Mas aconteceu como minha mãe falou. Até agora não conseguimos entender o que era aquilo. Você mesmo testemunhou. Não pode negar, ou pode? – desafiou Ramirez.

– Tenha paciência, Ramirez! Ao verem seus filhos embarcando para a guerra, todas as mães dizem coisas parecidas. Claro que a sua não poderia prever um ataque como o que sofremos em pleno voo – retrucou o tenente David.

– Nenhum de nós pode negar que algo desconhecido nos afrontou naquela montanha. Uma arma estranha ou mesmo um acontecimento sobrenatural. Alguém discorda ou tem uma tese plausível para o que nos aconteceu?

Perdido como os outros, Connors fez sua última tentativa de encontrar algo de racional no ocorrido. Por instantes, apenas o silêncio lhe deu resposta.

– Connors, os alemães obtiveram um avanço tecnológico extraordinário ao longo dos anos. Aquilo que vimos e sentimos talvez seja uma nova arma. Não podemos descartar essa hipótese – opinou David.

– Há uma grande chance de termos sido atacados por extraterrestres – sugeriu Bartmont.

– Pare de bobagem! – exclamou Ramirez. – Anda lendo muita ficção científica. Não foi nada disso. Como vejo que vocês não têm a menor ideia do que aconteceu, estou pronto para dar minha versão.

Ele se levantou para expor ao grupo o que pensava ter ocorrido.

– Explicação decente ou latina? Só falta falar em espanhol! – provocou Bloom.

– Toda explicação latina é decente. Bando de preconceituosos! Nós conhecemos coisas que anglo-saxões como vocês desconhecem por completo.

– Agora você não é mais americano, só nós que somos? – instigou Bloom, dando uma pequena risada, acompanhado pelo resto do grupo.

– Vamos lá! Estamos todos atentos para ouvi-lo, Ramirez – falou Connors, sentando-se no próprio beliche, procurando encerrar a discussão.

– Naquele monte, séculos atrás, um homem também foi atacado por uma força estranha. O caso envolveu até mesmo um bispo da Igreja Católica. Acho que fomos abordados pela mesma criatura.

– Que conversa de maluco é essa, Ramirez? Uma criatura? Só falta ser o monstro do lago Ness! – bradou Kovaks, e soou uma gargalhada geral.

– Ouça o que digo, Kovaks. Deixe ao menos eu terminar de falar e você vai perceber que tenho razão. – Ramirez pigarreou e retomou a palavra. – No século V, em uma cidadezinha chamada Siponto, vivia um pastor de ovelhas chamado Gargano, o mesmo nome do monte que sobrevoamos. Mas ele não era um sujeito qualquer, era rico, possuía muitas ovelhas e pastagens. Um homem que se destacava na sociedade em que vivia.

– Quer justificar o ataque dizendo que somos homens de posses, Ramirez! – exclamou Connors, implicando com a introdução.

Ramirez o ignorou, continuando a história:

– Um dia, uma de suas ovelhas escapou do curral. Ele saiu para procurá-la e a encontrou no alto do monte Gargano, na entrada de uma gruta.

– Olha, Ramirez, sei que temos visão de águia, mas querer que, lá de cima, vejamos que existe uma gruta lá embaixo naquela montanha já é demais, não é? – interrompeu David, um tanto irritado com a situação.

– Afinal, vocês vão me deixar contar a história ou não? – Ramirez elevou a voz, exigindo silêncio e atenção.

Todos acataram. Uma explicação, por pior que fosse, era melhor do que nada.

– Pois bem. Onde eu estava mesmo? Ah, sim, lembrei. A ovelha estava na entrada da gruta que fica no alto do monte Gargano. – Ele olhou ao redor para ver se mais alguém iria fazer algum tipo de objeção, mas ninguém se pronunciou. – O pastor, Gargano, teve muita dificuldade para capturar a ovelha, mesmo acompanhado de seus empregados. Assim, resolveu matá-la e levar a carne para casa. Pegou um arco e uma flecha, mirou e disparou na direção do animal. Para sua surpresa, antes de atingir o alvo, a flecha ficou suspensa no ar, imóvel.

– Como é?! A flecha ficou parada no ar? Não caiu no chão, pelo menos? – questionou Kovaks, que, apesar de deprimido com a situação, esboçou uma risada.

– Exato. Ficou suspensa no ar, flutuando. Aparentemente nada a segurava. Era como se uma mão invisível a dominasse porque, em seguida, ela deu meia-volta e veio zunindo na direção de quem a havia disparado!

Ramirez abriu um sorriso, encantado com a história que ele mesmo contava. Não encontrou muita receptividade nos companheiros.

– Todos os que acompanhavam o homem ficaram espantados. A flecha acabou ferindo o próprio Gargano! Seus empregados, apavorados, correram para a cidade para contar o caso ao bispo. Preocupado por não saber explicar o fenômeno, ele determinou ao povo da diocese três dias de jejum, para que Deus desse o discernimento correto sobre o acontecimento.

– Só falta agora o próprio Deus aparecer na história, explicando o porquê do ataque – interveio Bartmont, com voz mansa.

– Claro que não, Bartmont. Ao fim dos três dias de jejum, o arcanjo Miguel apareceu ao bispo e disse que o prodígio da montanha havia sido realizado por ele. Tudo para mostrar aos homens que aquele lugar estava sob sua proteção especial. O arcanjo exigiu, ainda, que ali fosse prestado um culto especial a ele e a todas as hierarquias angélicas.

– Pensei que São Miguel Arcanjo fosse bom. Não entendo como ele poderia nos atacar em pleno voo – retrucou Kovaks.

– Basta pensar um pouco. Nós iríamos bombardear o local indicado por ele para o culto às hierarquias celestes! O arcanjo estava cheio de razão em nos combater, não é? – indagou David, dando apoio à ideia de Ramirez pela primeira vez.

– A história do arcanjo Miguel acabou, Ramirez? – perguntou Bloom, preocupado com o fato de Ramirez já ter arrebanhado um para sua tese.

– Ainda não. Logo depois da aparição, o bispo celebrou uma missa na gruta, com todos os moradores da região. Dizem que o próprio arcanjo Miguel foi visto por todos e, com sua espada de fogo, traçou na parede de pedra da gruta uma cruz. Hoje o local é o santuário de São Miguel mais famoso do mundo. Dentro da gruta existe uma igreja de verdade – concluiu Ramirez e sentou-se na cama que lhe fora destinada no cárcere.

– Prefiro pensar que foi um extraterrestre. Acreditar em anjos e arcanjos não dá! – exclamou Bartmont, arregalando os olhos orientais dentro do possível.

– Não tenho tanta implicância com histórias de anjos e demônios, mas arcanjo tem que ser bom. Não poderia nos atacar daquele jeito. Também não poderia dar uma flechada no pastor idiota de Siponto. Prefiro pensar que era alguma arma secreta de Hitler – opinou Kovaks.

– Gostei da história, Ramirez, mas tenho certeza de que não foi o arcanjo Miguel que nos apareceu sobre o monte Gargano. A criatura tinha feições humanas: cara enfezada e barba! Ora, arcanjos não têm barba, não é? – questionou Connors.

– Não sei dizer – respondeu Ramirez.

– Connors, a questão da barba não exclui a hipótese de ser um arcanjo. Minha mãe sempre me disse que um anjo ou um arcanjo pode assumir a forma que quiser – interveio David em socorro de Ramirez.

– A história que conheço de São Miguel Arcanjo é a da aparição sobre o Castelo de Santo Ângelo, em Roma – disse Bloom.

– Parece que o tal arcanjo gosta mesmo de aparecer! – falou Kovaks em tom brincalhão.

– É sério. Durante uma terrível epidemia, em Roma, muita gente morreu. Isso foi na época do papa São Gregório Magno, no século VI. O pontífice determinou que se fizesse uma procissão de penitência na cidade para pedir a Deus o fim do flagelo. Ele mesmo tomou a frente da procissão caminhando descalço, carregando uma imagem de Nossa Senhora.

– Que coisa, um papa encabeçando uma procissão! E ainda por cima descalço e levando uma imagem? A coisa devia estar feia em Roma, não é? – Agora era Ramirez que se divertia com a história de Bloom.

– A situação estava tão difícil por lá que, enquanto as pessoas acompanhavam a procissão, viam os corpos dos mortos jogados pelas ruas, à espera de sepultamento, tamanha a violência da peste.

– Bloom, parece que você está narrando um cenário de guerra! – disse Connors, impressionado.

– Pois é, Mark. Na época o Castelo de Santo Ângelo ainda não tinha esse nome, é claro: era o mausoléu do imperador romano Adriano. Quando a procissão foi chegando a ele, um incêndio se iniciou no alto da torre da construção. No meio das chamas, todo mundo pôde ver o arcanjo São Miguel vestido com sua armadura, empunhando a espada.

– Ah, então não era ele quem estava lá no céu, próximo ao mar Adriático, atacando a gente. Aquele sujeito usava um capuz, não tinha armadura e não empunhava espada – concluiu Bartmont com firmeza.

– Eu também não vi nenhuma espada nas mãos dele – acrescentou Connors.

– Pois é isso que eu estou tentando dizendo ao Ramirez faz tempo – reafirmou Bloom.

– Quem sabe? Como disse o David, arcanjos podem assumir qualquer forma que desejarem – insistiu Ramirez.

– Não sei... – disse Bloom, pensativo. – O fato é que lá em Roma ele apareceu para dizer que o ato penitencial do papa e do povo havia sido muito bem recebido por Deus. Dali em diante, a calamidade encontrou seu fim. A partir daquele dia, o mausoléu do imperador Adriano foi batizado com o nome de Castelo de Santo Ângelo, em homenagem a São Miguel Arcanjo. Hoje, lá no topo da torre, há uma imagem gigante do arcanjo, vestido com sua armadura de combate, empunhando a espada.

– Meus amigos, voltamos à estaca zero – falou Connors, preocupado. – Se não era São Miguel Arcanjo nem um extraterrestre ou nazistas, quem nos atacou sobre o monte Gargano? O que vamos dizer em nosso interrogatório, quando o Alto-Comando nos convocar?

Ele não obteve resposta.

– Acho melhor encerrarmos a discussão sobre extraterrestres, arcanjos e outras coisas do gênero porque lá vem nosso algoz, coronel Wilson – informou Bartmont, saindo de perto da janela, de onde estava ouvindo o final da discussão.

– Não entendo como é que o Alto-Comando coloca um sujeito que nunca trocou tiros com as forças inimigas nos ares para comandar um esquadrão como o nosso. Só pode ser uma piada de mau gosto – reclamou Bloom, levantando-se de sua cama.

– Verdade... – concordou Connors. – Mas agora não adianta analisar o péssimo militar que é o nosso comandante. Nossas carreiras dependem dele. Imaginem o que ele deve ter dito a nosso respeito ao Alto-Comando. Os brigadeiros devem estar furiosos conosco. Só conhecem a versão do cretino do Wilson.

– É muito azar o nosso! – lamentou Kovaks. – Estamos nas mãos de um imbecil como o Wilson, o sujeito que mais tem inveja da gente na face da Terra.

A porta se abriu com tanta força que bateu na parede.

– Senhores, trago péssimas notícias. Aliás, vocês as merecem, pela atitude covarde que tiveram, sujando meu nome perante o Alto-Comando – berrou Wilson, adentrando o recinto.

– Coronel, somos os melhores guerreiros alados desta guerra. Só fizemos exaltar seu nome junto aos Aliados. Jamais sujaríamos o nome de ninguém – retrucou Kovaks, indignado.

– Não quero ouvir desculpas esfarrapadas de novo. Tenho mais o que fazer. Vou ler para vocês a carta que acabou de chegar do Alto-Comando, endereçada a mim.

Wilson não conseguia disfarçar o sorriso de satisfação. Os militares, então, se perfilaram para ouvir o tenente-coronel.

CAPÍTULO III

Brigadeiro Bloom

— Vocês estão um lixo! – comentou Wilson, observando o estado dos rapazes antes de começar a leitura.

Retirou do bolso a pequena folha de papel, coçou o pescoço, respirou fundo e, como de hábito, iniciou a leitura em volume altíssimo:

– "Coronel Wilson, saudações! Fomos informados a respeito do infortúnio ocorrido na missão do mar Adriático. Nossos militares não costumam reagir de modo covarde à ação inimiga. Lamentamos muito que, após tantas batalhas vitoriosas, a esquadrilha tenha se portado de modo inusitado. A punição provisória aplicada foi apropriada para a ocasião. De qualquer modo, comunico-lhe que amanhã cedo chegará à base militar um dos brigadeiros do Alto-Comando para dar uma solução ao caso. Atenciosamente, brigadeiro Garth."

– Por que ele grita tanto se estamos tão perto e somos tão poucos? – sussurrou Bartmont.

– Porque é um desequilibrado – retrucou Bloom.

– Doido ou não, o fato é que estamos ferrados – disse Ramirez para os dois.

– O que disse, tenente Ramirez? – perguntou o comandante.

– Nada, senhor – respondeu Ramirez com voz firme.

Connors e Bloom tiveram que segurar o riso, apesar da situação complicada que viviam.

– Como podem ver, cavalheiros, penso que suas carreiras estão bastante ameaçadas. Uma pena, depois de tudo o que vivemos juntos nesta guerra. Sinto uma tristeza incomparável em meu coração – declarou Wilson, cinicamente.

– Dava tudo para poder acertar um soco no nariz desse cretino! – falou Kovaks entre os dentes.

– O que foi desta vez, tenente Kovaks? – interpelou o comandante.

– Nada, senhor. Como o senhor notou, estamos um lixo, logo preocupados com a recepção do brigadeiro amanhã – disse o tenente em tom sarcástico.

– Preocupados com a aparência? Numa hora dessas? Vocês são piores militares do que eu pensava! – fulminou Wilson com prazer.

– Coronel, o problema é que precisamos estar apropriados para receber o brigadeiro pela manhã. Mas, por sua ordem, estamos aqui trancafiados. Peço permissão para voltarmos ao nosso alojamento, para que possamos nos preparar para a sabatina pela qual vamos passar amanhã – pediu Connors.

– Como vocês sabem, sou um homem de coração mole. Tenho um grande apreço pelos meus comandados. Para mim vocês são como a minha família – discursou Wilson.

– Como é falso! – disse Ramirez de forma quase inaudível.

– Então, coronel? Nossa reivindicação será aceita? – Bloom tentou sensibilizar o homem com todo o jeito.

– Está bem. Estão liberados. Podem voltar à rotina. Mas atenção: a partir de amanhã o destino de vocês não depende mais de mim. O Alto-Comando saberá que tipo de punição vocês merecem. Torço para que dê tudo certo.

– Muito obrigado, senhor – agradeceram os aviadores em uníssono.

– Vamos falar de coisas práticas agora. Quero vê-los formados na lateral direita da pista de pouso às seis horas em ponto. Entenderam?

– Sim, senhor – responderam os homens em coro.

– Ótimo. Dispensados! Boa noite, senhores, até amanhã – despediu-se Wilson, com um sorriso maior do que a lua crescente que brilhava do lado de fora do alojamento.

Na manhã seguinte, antes da hora marcada, os seis pilotos estavam perfilados a 150 metros da pista de pouso da base aérea. O coronel Wilson os observava de longe. Quando o relógio indicou seis horas e o sol apareceu sobre um pequeno monte, um avião cargueiro aterrissou em frente aos rapazes. Assim que seus motores desligaram, o comandante passou pelo grupo e caminhou até a porta lateral do avião para recepcionar a autoridade que chegava.

O brigadeiro Bloom pisou firme nos degraus da escada, segurando seu quepe até atingir o asfalto, para não perdê-lo no vento. Ao vê-lo, o sorriso de Wilson murchou instantaneamente. Os rostos dos militares que esperavam na beira da pista se iluminaram.

– Deus existe! – exclamou David.

– Até que enfim a sorte veio ao nosso encontro! – disse Ramirez, sorridente.

– Olha a cara de palhaço do Wilson! – espezinhou Connors.

– Bloom, até parece um milagre! O Alto-Comando mandou logo o seu pai! – exclamou Kovaks.

– Não sei avaliar se isso é bom ou mau, mas espero que vocês estejam com a razão – falou Bloom, secamente.

Os homens prestaram continência para os dois oficiais superiores e receberam ordem para acompanhá-los à sala do coronel Wilson.

– Agradeço a recepção que me deram, mas não havia necessidade de formatura – falou o brigadeiro Bloom. Wilson permaneceu em silêncio e o superior continuou: – O Alto-Comando me enviou aqui para uma avaliação física e psicológica dos senhores. Sabemos que não há, em toda a Força Aliada, um esquadrão tão eficiente como o que está diante de meus olhos. Por isso, concluímos que algo inusitado ocorreu no incidente de Foggia. Estou aqui para descobrir o que houve. Inicialmente os senhores passarão por alguns exames conduzidos pelos dois médicos desta base aérea. Ao final da tarde, vamos nos reunir novamente. Dispensados!

Até a hora do rancho, quatro militares já tinham passado pelos exames. Faltavam, ainda, Connors e Bloom. O capitão foi o último a ser chamado.

– Doutor, quem ordenou que nossos olhos e ouvidos fossem examinados?

Apesar de saber a resposta, Connors buscava entender melhor a situação.

– O Alto-Comando, capitão – respondeu o médico tranquilamente.

– É prática usual? Quando os outros esquadrões tiveram problemas em missões durante a guerra, seus pilotos foram examinados?

– Sim, capitão. Não se preocupe – respondeu pacientemente o homem de branco. – Pronto, terminamos. O senhor está dispensado.

Assim que Connors entrou no alojamento dos oficiais e se sentou na cama, a porta se abriu para Wilson e o brigadeiro Bloom. Todos os seis pilotos se puseram em posição de sentido rapidamente.

– Senhores, os resultados dos exames foram excelentes. Nenhum tipo de disfunção foi detectado. Fisicamente, estão plenamente aptos. Psicologicamente, como já desconfiava, também não foi encontrado nenhum distúrbio. Diante disso, resolvi conversar com o grupo a sós – disse o brigadeiro, tocando no ombro do decepcionado tenente-coronel.

– Muito bem, senhor. Fique à vontade. Estarei esperando por suas ordens na minha sala – acatou o outro, visivelmente contrariado.

O brigadeiro nem sequer o olhou, pois estava concentrado observando os demais. Wilson se retirou.

– Podem se sentar – disse o brigadeiro, gesticulando.

Como não havia cadeiras, todos se acomodaram nas camas, fixando os olhos ansiosos no homem. Ao contrário do comandante Wilson, os pilotos admiravam o pai do tenente Bloom. As batalhas de que participara ao longo de sua carreira eram lendárias. Não havia militar americano que não tivesse ouvido seu nome.

– Senhores, precisei tomar a providência de realizar os exames médicos para embasar minha posição de que não estão doentes. Assim, a principal hipótese do Alto-Comando a respeito do fracasso da missão em Foggia está descartada.

Todos ouviam em silêncio. Ele continuou:

– Na reunião do Conselho do Alto-Comando ficou acertado que, se os senhores estivessem doentes ou mentalmente incapacitados, seriam enviados imediatamente de volta aos Estados Unidos. O tratamento seria realizado nas bases aéreas de que são oriundos. Se estivessem sãos, caberia a mim descobrir o que se passou com o esquadrão durante a operação de guerra. O Alto-Comando me concedeu plenos poderes para bani-los das fileiras militares.

Nenhum dos aviadores se manifestou.

– Para tomar uma decisão justa, preciso interrogá-los. Vou fazê-lo em conjunto, para ganharmos tempo. Minha primeira pergunta vai para o líder do esquadrão, capitão Connors. O senhor relatou ao seu comandante que viu algo estranho nos ares. O que foi?

– Vi algo que vestia um capuz marrom-escuro, tinha o queixo proeminente e barbado e um olhar feroz. Sua voz era tão poderosa que pudemos ouvi-la sem nenhum tipo de equipamento.

– Os demais confirmam a descrição da criatura dada pelo capitão Connors? – quis saber o brigadeiro.

– Sim, senhor – responderam os militares ao mesmo tempo.

– Capuz marrom-escuro, queixo barbado proeminente e olhos ferozes. Pairava no ar sem nenhum tipo de suporte?

Novamente, a resposta afirmativa foi unânime.

– Pois bem, como eu não estava lá para avaliar o que era, e o que estão me descrevendo é inusitado, gostaria de saber de cada um dos senhores, honestamente, o que pensam que enfrentaram sobre o monte Gargano. Desta vez vou começar pelo meu filho, tenente Bloom – disse o brigadeiro, fuzilando o jovem com o olhar.

Até aquele momento Bloom não havia formulado nenhuma teoria sobre o que acontecera com a esquadrilha, apenas fizera críticas aos pilotos que expuseram suas ideias. Não esperava ser o primeiro a passar pelo interrogatório. Precisava se manifestar, pois o silêncio seria tomado como ofensa por seu pai.

– Penso que fomos expostos a algum tipo de substância desconhecida durante o voo. Provavelmente algo que entrou por nossas narinas e causou uma alucinação. Como somos excelentes pilotos, conseguimos retornar com as aeronaves intactas.

– Quem os teria envenenado, tenente? – perguntou calmamente o brigadeiro.

– Bom, não pensei muito no assunto... Provavelmente ninguém. Poderia ser alguma substância química que se encontrava na atmosfera.

– Se fosse assim, nossos equipamentos teriam captado a ameaça. E, como soube através do comandante Wilson, isso não aconteceu.

– Quem sabe, então, os nazistas? Algum espião – o tenente Bloom tentou remediar.

– Alguém que não era da equipe do comandante Wilson teve acesso aos alimentos e à água que vocês ingeriram, tenente?

– Não, senhor.

– Ainda bem. Do contrário, teríamos que investigar se haveria traidores nesta organização militar. Então o assunto seria muito mais delicado, não acha?

Pela cara de seu pai, a situação de Bloom não era nada boa.

– Bem, senhor, penso que me enganei.

– Mas continua acreditando na hipótese da substância desconhecida?

– Parece ser a melhor explicação, senhor – disse Bloom em voz falha.

– Se não houve nenhum doping dos pilotos enquanto estavam na base aérea, como a alucinação se produziu? Os nazistas conseguiram ludibriar vocês e os drogaram em pleno voo? É isso que quer dizer?

A voz do brigadeiro parecia uma lâmina de aço, seus olhos demonstravam grande insatisfação com o filho.

– Pouco provável, senhor – respondeu o tenente, cabisbaixo.

– Próximo – determinou o militar com voz firme.

– Não creio que tenhamos inalado alguma substância alucinógena, mesmo porque aquela imagem gigante era bem real – começou Kovaks.

– Se era real, do que se tratava, tenente? – questionou o brigadeiro.

– Uma nova arma nazista – disse Kovaks, convicto.

– Esta também é minha posição, senhor – falou Connors.

– Acreditam mesmo que, se os nazistas possuíssem um novo armamento, nossos oficiais de inteligência não nos teriam informado antes?

– Pouco provável, senhor.

Kovaks se calou, baixando a cabeça. Connors desviou o olhar do brigadeiro. Era melhor não forçar muito a situação, como fizera Bloom.

– Senhor, penso, com todo o respeito, que era São Miguel Arcanjo – afirmou Ramirez, para a surpresa do brigadeiro e do grupo.

– Tenente Ramirez, o senhor é católico? – quis saber o oficial.

– Sim, senhor.

– Eu também – falou pacientemente o brigadeiro. – Acredita em seres angélicos?

– Sim, senhor. – A voz de Ramirez já não transparecia tanta confiança.

– Vamos supor que tais criaturas existam. O tenente acha mesmo que o famoso arcanjo se vestiria com um capuz marrom? Já viu alguém dizer que arcanjo tem barba? Segundo os documentos da Igreja, o arcanjo Miguel tem o rosto liso e usa uma armadura. Se ele quisesse atacá-los, o faria com sua espada de fogo, não acha? – rechaçou o brigadeiro, já demonstrando alguma irritação.

Ramirez nada disse. Os olhos do brigadeiro pousaram em David, esperando seu argumento.

– Senhor, minha opinião é a mesma do tenente Kovaks e do capitão Connors. Como já foi refutada, não tenho nada a acrescentar – falou rapidamente.

– Brigadeiro Bloom, a única explicação plausível para o ocorrido é de que se tratava de um objeto voador não identificado – argumentou Bartmont, com sua lógica oriental.

– Tenente Bartmont, presumo que não seja católico – disse em tom irônico o oficial.

– Não, senhor, sou budista. Minha mãe é de Hong Kong, meu pai é do Texas. Nasci nos Estados Unidos, mas adotei a religião de minha mãe – explicou Bartmont com sua calma inabalável.

– Apesar de não ser muito fã de extraterrestres e coisas do gênero, posso afirmar que já li alguns documentos interessantes da Força Aérea americana sobre o assunto. Nenhum foi publicado, pois ganharam a classificação de "reservado". Tenho para mim que a mesma solução se aplica aqui.

Os olhos dos militares brilharam em direção ao brigadeiro.

– Antes de dar minha sentença, gostaria que um de vocês fosse até a sala do comandante Wilson e me trouxesse o mapa de voo com as coordenadas seguidas pela esquadrilha no dia da missão fracassada.

O tenente Bloom se levantou e saiu apressado para buscar o documento exigido pelo pai. Retornou em sete minutos.

Segurando o documento nas mãos, o brigadeiro disse:

– Capitão Connors, por gentileza, aponte aqui o local exato em que o incidente se deu.

Mark obedeceu.

Sem tirar os olhos do papel, o brigadeiro perguntou:

– Alguém tem mais alguma informação a respeito da criatura? Ela teria dito algo?

– Sim, ele mandou que voltássemos para a base sem atirar nenhuma bomba em seu convento – falou Kovaks.

Os olhos do brigadeiro se arregalaram, mas nenhuma palavra saiu de sua boca. Um silêncio incômodo se instalou no alojamento.

– No local apontado no mapa existe um convento. Trata-se da casa dos capuchinhos de San Giovanni Rotondo. Um frade entre eles tem fama de paranormal. Pessoalmente, não o conheço. Tal informação foi obtida através de militares que estiveram na região – o brigadeiro rompeu o silêncio.

– Convento capuchinho? Frade paranormal? – perguntou Connors, impressionado.

– Pouco importa, senhores. Depois que a guerra acabar, se tiverem curiosidade de visitar o frade místico, já sabem onde encontrá-lo. Agora vamos ao que interessa. Retornarei daqui a uma hora para a sede do Alto-Comando. Vou me reunir com o conselho amanhã, por volta das dez horas. O que vou relatar é que vocês tiveram um embate com um objeto voador não identificado. Essa informação será classificada como "secreta". A carreira dos senhores estará preservada de qualquer mancha. Continuarão aqui na Europa servindo as Forças Aliadas até segunda ordem. Alguma pergunta? – questionou o brigadeiro, preparando-se para sair.

– Não, senhor! – bradaram os militares com satisfação, erguendo-se para prestar continência.

– Dispensados! Boa noite, senhores.

Antes de deixar o alojamento, o brigadeiro se aproximou do filho e sussurrou algo em seu ouvido. Segurou-lhe o rosto e beijou-o na bochecha.

– Não falei? – disse David. – Deus existe! Estamos livres. O idiota do Wilson não conseguiu nos prejudicar. Não há nada que ele possa fazer contra nós agora!

– Que alívio! Fomos salvos no último minuto. Até que a tese ridícula do Bartmont serviu para alguma coisa, não foi? – falou Ramirez.

– Deixe de ser ingrato. Salvei a sua pele com a minha inteligência! – provocou Bartmont em tom de brincadeira.

– Ainda bem que nosso inquisidor era o brigadeiro Bloom. Aquilo que descrevemos não se parece em nada com um objeto voador não identificado – disse Mark, aliviado.

– Bloom, o que seu pai disse que o deixou com essa cara de enterro? – perguntou Kovaks ao tenente.

– Ele disse que o mínimo que eu poderia fazer era esperar o fim da guerra e, quando as coisas se acalmassem, antes de voltar para casa, ir até San Giovanni Rotondo. Pediu que eu conversasse com o tal frade paranormal, já que ele mesmo não poderia fazê-lo, pois precisava retornar imediatamente aos Estados Unidos.

– Seu pai acha que o tal frade paranormal tem algo a ver com o que nos aconteceu? – perguntou Connors, impressionado.

– Não sei bem. É muito difícil decifrar o brigadeiro. Sei que ele é muito católico, assim como o seu pai, Connors. Acho que esse negócio que eles têm com a religião é coisa de irlandeses. Só posso deduzir que o velho Bloom tem uma imensa curiosidade sobre o frade paranormal.

– Seus pais são irlandeses? – perguntou Kovaks.

– O meu é do norte do país, uma região muito fria – respondeu Connors. – O brigadeiro é do sul. Ambos migraram para Boston com suas famílias quando ainda eram crianças. Por isso, quando entramos na Academia Militar, eu e Bloom já nos conhecíamos. Estudamos no mesmo colégio em que eram educados os filhos dos imigrantes irlandeses.

– Que mistura é nossa esquadrilha! – exclamou Ramirez. – Minha mãe é cubana, o pai do Kovaks é polonês, a mãe do Bartmont é chinesa e a do David é israelense.

– Como você gosta de dizer, Ramirez, pouco importa de onde vieram nossos pais, somos todos americanos! – disse David, causando uma risada generalizada.

– Agora que nossos pescoços estão a salvo, gostaria que vocês me acompanhassem nessa missão dada pelo meu pai – pediu Bloom.

– Como é que é? Estou fora! Se o brigadeiro falou em seu ouvido é porque a incumbência é somente sua, Bloom – Ramirez se apressou em dizer.

– Bloom, veja bem o que vai fazer. Já nos metemos em confusão suficiente para um ano. Melhor você ficar quieto no seu lugar. Deixa o brigadeiro retornar para os Estados Unidos e vamos apenas à caça das moças italianas! – aconselhou Kovaks, para a alegria de todos.

– Antes de sair daqui, meu pai pediu que eu fosse até o convento de San Giovanni Rotondo para dar uma olhada no tal frade paranormal. Ele mesmo gostaria de ter ido lá, mas não teve oportunidade. Seria um favor ao homem que salvou nossa pele, só isso. Alguém pode me acompanhar?

– Olha, Bloom, meu sangue cubano me impede de visitar sujeitos paranormais. Confesso que não me sinto à vontade. Como sabem, existem coisas estranhas na comunidade cubana e...

Antes que Ramirez pudesse terminar a frase, David interferiu:

– Pare de dar desculpas! Todos nós sabemos o quanto você é supersticioso, Ramirez! Tudo bem, não precisa ir.

Os pilotos riram.

– Claro, Ramirez, já que seu espírito é tão impressionável, está liberado. E vocês? – insistiu Bloom.

Ninguém se habilitou em acompanhá-lo. Todos ficaram olhando para o chão.

– Mark, você não pode me deixar sozinho nessa situação. E se o tal frade for um homem perigoso? Quem sabe se ele está a serviço dos nazistas? Será que você não poderia ir comigo? A guerra já está praticamente no fim. Hitler já era. O que me diz?

– Não me agrada a ideia de ir a um lugar como aquele. Muito menos de visitar um sujeito que o brigadeiro diz ser paranormal. Seu pai não costuma se enganar com as pessoas. Não sei se é uma boa coisa, Bloom. Acho que o conselho do Kovaks é bem melhor! – disse Connors, rindo.

– Estou falando sério. Não posso ser tão ingrato com meu pai. Ele com toda a certeza interferiu junto ao Conselho do Alto-Comando para julgar o nosso caso com a intenção deliberada de nos livrar. Você sabe disso, Connors, conhece a personalidade do homem.

O argumento de Bloom era invencível. Todos sabiam que o brigadeiro forçara sua presença como interventor do caso. Além disso, gostava de todos os componentes da esquadrilha e jamais os atiraria na fogueira.

– Em consideração ao grande militar que é o seu pai, vou acompanhar você até o convento. Vamos lá ver a cara desse paranormal. Se ele não for um sujeito do bem, vamos lhe dar uma surra. Está bom assim?

– Ficou louco, Connors? Quem bate em sacerdote vai para o inferno! – exclamou Ramirez se benzendo.

– Ramirez, inimigo é inimigo. Não me interessa se ele usa farda ou hábito. Vou àquele lugar para cumprir o pedido do brigadeiro. Mas estarei, como sempre, preparado para qualquer tipo de armadilha. E você, seu medroso, deveria vir conosco. Aliás, mais alguém se habilita? – perguntou o capitão.

– Já disse, Connors, deixe o Bloom ir sozinho. É um problema de família. Para que se meter? – interveio David.

– Então está resolvido. Assim que a guerra acabar, eu e Bloom vamos visitar o frade paranormal. Faremos um relatório completo sobre suas atividades para entregar ao brigadeiro. Ele vai ficar muito satisfeito, tenho certeza – Mark encerrou o assunto.

– Como vocês vão visitar alguém que não conhecem? – desdenhou David.

– É mesmo. Pior ainda: nem sabem o nome do sujeito. Vai ser uma situação ridícula – implicou Kovaks.

– Realmente, Bloom. Melhor você descobrir direitinho quem é o tal frade paranormal. Precisamos do nome do homem – concordou Connors.

– Óbvio, Mark! Vocês acham que sou idiota como o coronel Wilson? Meu pai me disse como se chama o paranormal.

Todos ficaram sérios, em silêncio.

– É padre Pio – revelou Bloom.

CAPÍTULO IV

Mamertino

Com o término da guerra, o comandante Wilson passou a dar folga aos rapazes nos fins de semana. Connors e Bloom aproveitaram um dia ensolarado para passear em Roma. Caminhavam pela Via del Corso, próximo à Piazza di Spagna, onde podiam admirar as belas italianas.

O pedido do brigadeiro Bloom continuava pendente, gravado em suas mentes, mas os dois militares procuravam não tocar no assunto. Ainda não tinham reunido coragem suficiente para voltar ao local do fiasco aéreo e conhecer o homem e seu convento.

Enquanto passeavam, ficaram impressionados com a quantidade de ciganos que perambulavam pelas ruas, esmolando. A guerra deixara um número elevado de pessoas sem moradia e alimentação adequadas. No meio de tanta gente, os militares avistaram um grupo interessante.

– Mark, veja lá, três belas mulheres fardadas entrando naquela rua!

– Que rua, rapaz?

– Aquela ali, ao lado do "Bolo de Noiva", o monumento em homenagem a Vittorio Emanuele II.

– Maravilha, Bloom! Será que estamos com sorte hoje? Deu para ver de que país era a farda? – falou Connors, tentando enxergar melhor.

– Daqui só deu para ver que estavam fardadas. Pouco importa, não acha?

– Verdade. Vamos até lá!

Com passos acelerados, os militares atravessaram uma grande avenida e pararam em frente ao gigantesco monumento de mármore.

– Para onde elas foram?

Os amigos começaram a vasculhar a região.

– Por ali. Estão entrando naquela velha casa, veja! – exclamou Bloom.

Em um minuto os aviadores se detiveram diante de uma construção secular de dois andares cercada por grades. Na entrada, gravado em uma coluna de pedra, estava escrito "*Mamertinum*". Estreitando os olhos, o tenente perguntou:

– Que lugar é este? O que quer dizer esse nome em latim?

– Você pergunta para mim? Sabe muito bem que a única língua que falo é inglês! Agora uma coisa é certa: se elas entraram aí, nós também podemos. Vamos em frente, Bloom.

O portão estava aberto. Os militares entraram pelo andar superior e avistaram logo um altar com bustos de São Pedro e São Paulo. As paredes eram de pedra, escurecidas pelo tempo. Não havia indício de luxo no local e o ar era viciado. Na parede esquerda havia uma inscrição em italiano e uma seta apontando para baixo, em direção a uma escada. As três moças estavam distraídas e admiravam o local, sorridentes.

Elas falavam uma língua latina que nenhum dos dois conseguiu identificar. Uma delas, morena, dava explicações sobre o lugar, apontando para alguns pontos do ambiente. Quando notou a presença dos rapazes, silenciou-se. As outras, igualmente caladas, se voltaram para ver quem entrava.

Os olhos de Mark se fixaram no belo rosto da mais baixa, uma loura. A moça, já sem jeito, perguntou em inglês:

– Algum problema? Podemos ajudá-los?

Percebendo que o amigo estava hipnotizado pela beleza da militar, Bloom resolveu tomar a frente e fazer amizade com as moças:

– Que bom que falam inglês! Estávamos curiosos a respeito deste lugar. Meu nome é Henry Bloom. – Ele levou a mão ao peito. – Este aqui é meu amigo Mark Connors – acrescentou, colocando a mão no ombro do amigo.

– Muito prazer! Somos brasileiras e pertencemos à Força Expedicionária de nosso país. Estas são Inês e Beth – apresentou a morena, mostrando as amigas. – Sou Carla.

O grupo feminino se entreolhou, sorridente. Bloom percebeu que Connors não tirava seus olhos da loura.

– Parece que vocês sabem o que se passou nesta casa antiga – Bloom tentou puxar assunto outra vez.

As brasileiras riram.

– Desculpem, mas esta não é uma casa antiga. Aqui, no tempo do imperador Nero, funcionava uma prisão – informou Inês.

– Prisão? Não imaginei que belas mulheres se interessassem por fazer turismo em prisões – disse Bloom, impressionado, olhando para o amigo, que continuava encarando a moça.

– Vocês sabiam que aqui estiveram presos os apóstolos Pedro e Paulo? – perguntou Beth.

– Apóstolos? – finalmente meu pai disse algo.

– Connors, elas estão falando dos homens que eram discípulos de Jesus, entendeu? – interferiu Bloom, tentando situar Connors na conversa.

– Ah, claro! Eu estava um pouco distraído.

Inês e Carla riram e Beth corou.

– Venham conosco, vamos contar a história do lugar para vocês – convidou Carla.

Era tudo que Connors e Bloom queriam.

– Estão vendo aquela marca na parede de pedra, perto da escada? – perguntou Beth.

– Sim – respondeu Connors.

– Cheguem mais perto. Vão observar que na rocha está esculpido o perfil de um homem de forma perfeita.

– Incrível! Tem toda a razão. Dá para ver a testa, o nariz, o queixo e a cabeça. Quem teve o trabalho de talhar isso em uma pedra como esta? – perguntou Connors, ao que as moças voltaram a rir.

– Este é o perfil de São Pedro, o primeiro papa da Igreja – afirmou Carla.

– Algum romano esculpiu o perfil dele aqui? Dentro de uma antiga prisão? Que homenagem de mau gosto, não é, Bloom? – comentou Mark.

– Quando São Pedro foi capturado e trazido para cá pelos soldados romanos, foi muito maltratado. Antes de descerem as escadas para colocá-lo no cárcere, que era no subsolo, bateram sua cabeça nesta pedra. Bem aí onde vocês estão olhando – explicou Beth.

– Você está nos dizendo que, de forma milagrosa, o perfil de São Pedro ficou gravado nessa rocha? – questionou Bloom.

– Não acredito que vocês nunca ouviram falar disso! São católicos? – perguntou Inês.

– Sim, somos, mas nunca ouvimos essa história – afirmou Mark.

– O que estão vendo é fruto de um milagre de séculos. Aliás, foi desta prisão que São Pedro saiu para ser executado. No local onde ele morreu hoje há um obelisco egípcio, na Piazza di San Pietro, no Vaticano – disse Carla.

– Somos católicos ignorantes, não liguem para nossa falta de cultura! – brincou Bloom.

As moças riram. As brasileiras começaram a descer os degraus e acenavam, convidando os rapazes a acompanhá-las.

– Bloom, é impressionante! Como isso pôde ficar aqui durante todos esses séculos? Quer dizer que esse era o rosto do primeiro papa da Igreja Católica? – disse Connors, tocando a imagem em relevo na parede.

– Interessante, não é? Imagine o poder de um homem desses! Seu rosto escavou a rocha dura e marcou para sempre este lugar. Isso me lembra...

Antes de Bloom terminar a frase, foi interrompido por Connors:

– Não vai falar nada sobre o frade paranormal aqui, viu? Silêncio absoluto, senão a gente perde as garotas. Depois a gente conversa direito sobre o assunto.

Os dois começaram a descer os poucos degraus que levavam para o local onde os encarcerados ficavam. Era uma cela subterrânea cavada na pedra, pequena e úmida. Carla comentou que, no verão, era extremamente quente e, no inverno, bem fria. Lá se amontoavam diversos prisioneiros capturados pelo Império Romano.

– Olhe, Connors, veja o altar de mármore que colocaram junto à parede – apontou Bloom.

– Tem uma cruz de cabeça para baixo.

Eles se entreolharam. Meu pai sentiu um arrepio, pois conhecia histórias de pessoas que tinham sofrido ataques demoníacos, cujas casas ficaram marcadas com cruzes invertidas.

– Se o Ramirez visse a cruz de ponta-cabeça, diria que este lugar é macabro e sairia correndo daqui!

– Não fale dessas coisas, Bloom! Não quero perder a baixinha loura, entendeu? – implorou Connors, sussurrando ao ouvido do companheiro.

– Calma, rapaz! Só estou brincando. Mas será que este lugar é de Deus?

– Ora, se Deus criou o mundo, todos os lugares são dele! – concluiu Connors de forma simplória.

– Estou falando sério. Aqui torturaram São Pedro e São Paulo. Ainda por cima tem um altar com uma cruz de cabeça para baixo!

Beth ouviu o final da frase do americano e, com um sorriso, se aproximou dos dois amigos.

– Não é o que vocês estão pensando! Esta cruz está de cabeça para baixo para indicar que São Pedro esteve aqui. Foi confeccionada muito depois da estada dos apóstolos nesta prisão. Não é sequer da época do Império Romano.

– Juro que não compreendi. Por que um objeto desse tipo indicaria a presença de São Pedro aqui? – questionou Connors.

– Porque ele morreu crucificado – esclareceu Carla.

– Mas Jesus também morreu crucificado, não foi? A cruz, pelo que eu sei, estava na posição natural – contestou Bloom.

– Jesus e Pedro foram pendurados no madeiro, mas houve uma diferença: ao ser preparado para a crucifixão, São Pedro disse aos soldados romanos que não era digno de morrer da mesma forma que seu Mestre. Pediu, então, que virassem sua cruz! E assim foi feito – ensinou Beth.

– Corajoso o sujeito – elogiou Connors.

– Que bom que encontramos vocês. Somos muito ignorantes em relação à história da Igreja. Desculpem o monte de besteiras que estamos dizendo – falou Bloom.

– Vocês são ótimas companhias. Estamos nos divertindo muito – garantiu Beth, fitando os olhos azuis de Mark.

– Vejam ali do lado – disse Inês, apontando para o canto do recinto.

Dentro de um gradil de ferro desgastado pelo tempo, havia uma coluna de pedra bem antiga.

– Vocês sabem o que é essa coluna? – perguntou Carla.

– Parece um daqueles locais onde os prisioneiros romanos eram acorrentados para serem torturados. Acho que no dia da sua flagelação Jesus também ficou preso a uma coluna assim, não foi?

Bloom tentou melhorar a impressão que estavam causando às moças.

– Muito bem. Nessa coluna ficaram atados São Pedro e São Paulo enquanto foram prisioneiros – esclareceu Beth, com um sorriso que deixou Mark desnorteado.

– Sinceramente não esperava encontrar relíquias católicas nos dias de hoje. – A voz de Connors ecoou na penumbra.

– Já que gostaram, podem nos acompanhar por mais um tempo. Vamos visitar outro local interessante, que fica bem pertinho daqui – convidou Beth.

– Será um enorme prazer – disse Connors, afobado.

– Só tem mais uma coisa que eu queria perguntar antes de irmos – interrompeu Bloom. – O que é esse poço aí na frente? – perguntou, indicando um poço pequeno e escuro no solo de pedra.

– São Pedro fez diversas pregações aos prisioneiros e aos guardas que os vigiavam. E vários deles quiseram se converter ao cristianismo – começou a explicar Inês.

– Até mesmo os soldados romanos que guardavam o cárcere? Eles também se converteram por causa das pregações de São Pedro? – perguntou Connors, impressionado.

– Exato. Vendo a quantidade de pessoas que estavam se convertendo, São Pedro rezou a Deus e pediu que Ele enviasse água para que pudessem ser batizados. E, pasmem, começou a brotar água do chão da prisão. Anos mais tarde, os romanos fizeram a estrutura do poço. Dizem que até os dias de hoje a água continua a existir aí dentro – afirmou Carla.

Os dois amigos se entreolharam.

– Olha, não resisto, preciso saber se tem água mesmo aí dentro.

Connors deitou na pedra fria. Olhou para dentro do poço escuro e esticou o braço. Sua mão saiu de lá toda molhada. Bloom deu uma gargalhada.

– Será que posso molhar minha cabeça com esta água? Sou batizado, mas...

– Claro. Vá em frente, muita gente faz isso quando vem aqui – disse Beth, divertindo-se com a cena.

Bloom cruzou os braços e se aproximou do amigo para enxergar melhor. Meu pai molhou a fronte.

– Está bem fria a água!

Connors se levantou sorrindo.

– Vamos subir? – convidou Carla.

– Claro. Podemos mesmo ir com vocês, não estamos incomodando? – perguntou Connors.

– De jeito nenhum. Será um prazer tê-los com a gente – afirmou Beth, já subindo o primeiro degrau.

Quando alcançaram a rua, Bloom caminhava entre Inês e Carla enquanto Connors estava ao lado de Beth, na ponta do grupo.

– De que parte dos Estados Unidos vocês são? – perguntou ela.

– Como sabe que somos americanos?

– Pelo sotaque.

– Somos de Boston. Somos militares como vocês. Eu sou tenente, e ele, capitão da Força Aérea dos Estados Unidos – intrometeu-se Bloom.

– Eu sou do Rio de Janeiro, Carla é de João Pessoa e Inês é de São Paulo. Somos enfermeiras da Força Expedicionária do Brasil.

– Tenho muita vontade de conhecer o Rio de Janeiro – disse Connors.

Bloom deu uma risada, contagiando as outras moças.

– Vocês estão trabalhando no hospital de campanha que montaram na saída de Roma? – perguntou Connors, na esperança de uma resposta positiva, pois iria para lá no sábado visitar alguns amigos feridos na guerra.

Lembrou-se de que boa parte dos servidores era de latinos. Provavelmente havia brasileiros entre eles.

– Sim, como sabe? Já esteve por lá? – respondeu a moça, com um sorriso espantado.

Nesse momento, Bloom segurou o braço de Connors e sussurrou:

– Aproveita que o comandante Wilson vai liberar a gente no sábado e convida logo a moça para sair. Diz que a pega às dez horas. Ande, rapaz!

– No próximo sábado estarei por lá, bem cedo, para visitar amigos em recuperação. Poderíamos nos ver depois. O que acha?

– Sábado é um ótimo dia. A que horas combinamos? – perguntou a moça, sem rodeios.

O coração de Mark quase saiu do peito de tanta felicidade.

– Dez horas está bom?

– Muito bem. Estarei esperando em frente ao alojamento feminino da parte leste – respondeu ela, satisfeita.

– O lugar que vamos visitar agora é uma igreja bem antiga. Lá estão os restos mortais dos apóstolos Tiago Menor e Filipe – informou Carla, interrompendo o flerte.

O grupo caminhou pela Via dei Santi Apostoli, parando em frente à Basílica dei Santi Apostoli, uma construção do século XVI. Bloom já começava a ficar enfadado com a tarde religiosa. Meu pai, porém, me afirmou em seu leito de morte que aquele fora um dos melhores dias de sua vida. Naquela tarde, conhecera seu grande amor.

– Mark, não está entediado? Sabe que aqui é uma igreja, não é? Agora que já conseguiu o que queria, vamos embora. Que tal nos despedirmos logo? – sugeriu Bloom.

– Tenha calma. Não me importo em visitar uma igreja. Quero ficar perto da Beth mais um pouco. Aguente só mais essa visita, está bem? Depois partimos.

– Tudo bem, então. Estou aqui para apoiá-lo. Só mais esta visita. Assim que acabar, voltamos para a base, combinado?

O grupo entrou no templo e se dirigiu à cripta, abaixo do altar principal da igreja. Eles desceram poucos degraus e pararam em frente a uma Bíblia enorme aberta. Ao lado, uma inscrição indicava que os santos apóstolos Filipe e Tiago Menor estavam naquele lugar.

– Gostaríamos de fazer uma oração aqui, pedindo a intercessão dos apóstolos em nossas causas. Vocês se incomodam de esperar só um pouquinho? – perguntou Carla.

– Não tem problema nenhum. Vou rezar também, posso? – perguntou Connors, ajoelhando-se ao lado da loura.

– Claro – respondeu Beth.

"Não acredito no que estou vendo!", disse Bloom para si mesmo. "Ele agora é um homem de oração..."

De joelhos, cada um fez sua prece. Bloom permaneceu em pé, observando o grupo. Quando terminaram, mantendo o silêncio, subiram a pequena escada e seguiram rumo à saída. Do lado de fora, as moças se despediram. Connors, feliz, disse a Bloom:

– Tivemos um dia glorioso, meu amigo!

– Dá para perceber que você gostou da loura brasileira. Quero ver como vai ser depois, porque vão nos mandar, muito em breve, de volta à base aérea em Boston. Como você deve imaginar, ela vai voltar para o Rio de Janeiro.

– Depois de tudo o que passamos, tenho certeza de que, lá em cima, além daquelas nuvens, existe alguém que gosta muito de nós, Bloom. Ele já nos livrou das patas do comandante Wilson, não foi? Então agora vai me dar a Beth de presente. Não sei como será, mas Ele dará um jeito – afirmou meu pai, cheio de confiança.

– Nunca imaginei que você fosse religioso, Connors! – brincou Bloom.

Ambos gargalharam e partiram de volta ao alojamento militar.

CAPÍTULO V

Piazza Barberini

Na manhã de sábado, ensolarada e seca, Bloom caminhava concentrado no mapa em suas mãos. Recebera a informação de que, próximo de onde estivera com Connors e as moças brasileiras, havia uma igreja de frades capuchinhos. Aproveitando-se do fato de que os demais pilotos da esquadrilha tinham ido à praia, em Ostia – com exceção de Mark, que havia saído com Beth –, resolveu colher informações sobre o convento de San Giovanni Rotondo.

Em poucas horas a temperatura se elevaria bastante, pensou. Naquele instante, porém, estava dentro do suportável. Desatento com seus passos, por vezes havia tropeçado em alguns obstáculos das calçadas antigas. Por volta das oito e meia, deteve-se na Piazza Barberini. Observou a paisagem ao redor e conferiu em uma placa próxima: "Via Vittorio Veneto".

Guardou o mapa no bolso da calça e examinou atentamente o lugar onde estava. Uma sequência de cafés elegantes seguia rua acima. O que o tenente buscava, porém, estava à direita: a igreja erigida em honra da Virgem Maria, cuja escadaria tinha o formato de uma tesoura. As paredes da construção eram em tom rosa-claro, agradável. Bloom iniciou a subida, focado em cumprir o pedido do pai.

Após colocar em risco sua patente com a missão fracassada, ficando à mercê do tempestuoso Wilson, Bloom não pensava em outra coisa senão saber ao máximo sobre o convento da região de Foggia e o frade paranormal. Sentia-se como um membro do serviço reservado militar, atuando em uma operação secreta. Queria que o pai sentisse orgulho dele.

Quando chegou à porta da igreja, parou por um instante. Checou suas vestes. Estava à paisana e, segundo a própria avaliação, não dava indicações de ser militar. Não queria assustar os sacerdotes e os fiéis. Antes de entrar no templo, entretanto, ele lembrou que não havia traçado nenhuma estratégia para persuadir os frades a darem as informações que desejava.

Retrocedeu e parou no meio dos degraus, tentando imaginar um plano. Enquanto isso, algumas senhoras passavam por ele, ingressando na igreja com pesados véus.

Como não lhe vinha à cabeça nada muito inteligente, Bloom pensou em desistir e voltar outro dia com um dos companheiros de esquadrilha. Cogitou trazer consigo Ramirez, pois o rapaz era muito eloquente e simpático, além de adorar assuntos religiosos.

O improviso nunca fora seu forte e sabia que precisava ser inteligente para cumprir o desejo do brigadeiro. Se causasse algum problema naquela igreja, poderia haver retaliação por parte dos frades, com reclamações que certamente chegariam ao abominável comandante Wilson. Aí, sim, a coisa ficaria feia para o seu lado. Nesse momento, uma voz o chamou de dentro da igreja:

– Soldado americano! Nós estamos de portas abertas ao povo de Deus. Pode entrar, venha.

Era um frade capuchinho que falava um inglês com forte sotaque italiano e sacudia insistentemente a mão esquerda. Tinha um olhar muito simpático e uma barba branca e comprida. Andava com dificuldade em direção a Bloom, balançando a enorme barriga a cada passo. A primeira coisa que lhe veio à mente era que o frade parecia uma versão italiana do Papai Noel.

– Padre, bom dia! Eu estava pensando mesmo em entrar para conhecer sua igreja. – Bloom tentou disfarçar sua distração, abrindo um meio sorriso.

Enquanto as palavras saltavam de sua boca, deu-se conta de que não havia se identificado ao homem.

– Como o senhor sabe que sou um militar americano?

A curiosidade o fez desistir de ir embora.

– Muito fácil, meu jovem. Pelo seu corte de cabelo e postura, concluí que é militar. Pela sua aparência e jeito de se vestir, só pode ser americano! – explicou o padre, rindo. – Veio participar da minha missa ou fazer turismo em nossa cripta famosa? Sabe, é um lugar excelente para se pensar sobre a vida.

Quicando de uma perna para a outra, o padre se aproximava de Bloom em ritmo lento. Havia algo de estranho naquele sujeito de físico debilitado. Contrariando todo o conjunto, sua voz era bastante firme e jovial e ecoava em alto e bom som.

"Pensar sobre a vida" era algo que nunca havia interessado ao tenente. Nascera para ser um homem de combate. Filosofias e meditações não eram seu objetivo, apenas a ação. Sua vida era boa, tinha consciência disso. Não carecia de análise. Conseguira, com muito custo, se tornar um dos pilotos de elite da Força Aérea americana e carregava no peito um orgulho incalculável por conta disso.

Havia terminado a guerra com plena saúde e cheio de glórias militares. Seria promovido em poucos meses a capitão. Esperava uma nova designação para outra região de conflito, onde fosse necessário um piloto pronto para travar bons combates aéreos contra forças inimigas. Detestava a ideia de ficar trancafiado em uma repartição militar. Como uma águia, precisava voar. Decidiu ir ao encontro do sacerdote.

– Gostaria de trocar algumas palavras com um frade capuchinho, só isso, padre – explicou-se educadamente.

– Interessante, não costumamos ser procurados aqui, especialmente por estrangeiros. Aliás, com essa guerra horrorosa, pouca gente tem aparecido para conversar, confessar os pecados ou rezar. – Seu olhar era investigativo.

– O senhor é frade capuchinho, padre?

– Exato. Não vê meu hábito? – perguntou o idoso, mostrando seu capuz marrom. – Esta belíssima igreja está sob nossa administração. Seja bem-vindo, rapaz.

– Não sei muito sobre o vestuário das ordens sacerdotais católicas, me desculpe. Em minha terra natal, tive contato com poucos padres, todos da igreja do meu bairro. Eles usavam terno negro. Nunca vi nenhum de hábito.

– Nada de se desculpar, não é necessário. Ninguém é obrigado a conhecer a forma de vida dos religiosos. Agora, posso lhe explicar por que os padres de seu bairro se vestiam de modo diferente de nós: eram diocesanos. Não pertenciam a nenhuma ordem. Qual é a sua cidade?

– Boston.

– Deixe-me pensar um pouco... – disse o velho, apoiando o queixo na mão rechonchuda. – Sim, na sua cidade temos um convento e um seminário da nossa ordem.

Apesar da idade avançada, aquele sujeito era bem lúcido. Seria uma ótima fonte para a pesquisa de Bloom. Com alguma paciência, não seria difícil colher informações sobre San Giovanni Rotondo e o padre Pio.

– O senhor pode me receber em alguma sala da igreja? Gostaria muito de lhe fazer algumas perguntas sobre os capuchinhos.

– Não haveria nenhum problema. Ocorre que, como sou o único padre nesta igreja até a hora do almoço, celebro duas missas seguidas. Uma delas acabei de celebrar. Foi a das sete da manhã. A outra está para começar, é a das nove. Gostaria de participar? Depois poderíamos seguir para a sacristia e conversar, enquanto o outro frade assume o meu posto, que tal?

Imediatamente Bloom se lembrou do tédio que passara naquela tarde com as brasileiras. Missa das nove horas? Seria duro de aturar.

Pensou alguns segundos em silêncio, tentando encontrar uma forma de declinar o convite sem magoar o religioso.
– Então, americano? Vai ficar ou vem me ver outro dia?
Não tinha jeito. Como Bloom desejava ganhar a simpatia do capuchinho, não podia se negar a participar da missa, por mais chata que fosse. Seria um pequeno sacrifício pela missão.
– Claro que sim, padre. Será uma honra.
– Que bom! Falarei, então, algumas palavras de minha homilia em sua língua – disse o homem, animado.
– Fico muito feliz, padre. Como é seu nome?
– Frei Giacomo.
– Prazer. Sou o tenente Bloom.
– A casa de Deus está à sua disposição, tenente.
– Bem, vou me sentar para participar da missa, depois nos falamos – falou, apontando para o fundo da igreja.
– Não naqueles bancos. Fique mais próximo do altar, onde eu possa vê-lo melhor. Que tal ali?
Era a primeira fila, onde estavam algumas senhoras de véus negros, fúnebres.
– Tudo bem – concordou o americano a contragosto.
– Excelente! Agora devo ir rápido à sacristia. Preciso me paramentar para começar a missa. Será uma honra ter um soldado americano em minha assistência.

A missa terminou antes do que Bloom esperava. Não fora tão chata quanto ele havia imaginado. O frade gentilmente fizera alguns comentários em sua homilia em inglês. Algo sobre sinais e presença de Deus em nossas vidas. Ao final, Papai Noel deixou o altar e, em cinco minutos, estava diante do tenente para a esperada conversa.
– Bela a minha igreja, não? Cinco capelas de cada lado. Viu os quadros pendurados nas paredes? Obras de arte da melhor qualidade. Ah, noto que seus olhos captaram a beleza daquela pintura. Bom gosto, rapaz! É a minha favorita.

Ele acenou para que o tenente fosse olhá-la mais de perto. Para não ser rude, Bloom seguiu adiante. Discretamente, consultou seu relógio: tinha tempo suficiente.

– Quem é o anjo de armadura e espada na mão? – perguntou Bloom, desconfiado de quem se tratava.

– O arcanjo Miguel, general da milícia celeste. Na pintura ele está guerreando com Lúcifer. Foi ele quem o derrotou e o fez cair ao inferno.

– Que coincidência. Outro dia mesmo eu e alguns colegas de farda falávamos a respeito de São Miguel Arcanjo e do monte Gargano.

– Então você conhece o famoso monte Gargano. Que surpresa! Um americano que conhece a casa do arcanjo Miguel e das hierarquias celestes. E eu que pensava já ter ouvido de tudo nesta vida.

O sacerdote observava o aviador bem de perto, como quem procura algo escondido.

– Sim e não.

A resposta de Bloom deixou o sacerdote visivelmente confuso.

– Olhe, meu inglês é bom, mas confesso que não entendi o sentido da sua última frase, meu jovem.

O padre cruzou os braços, esperando um esclarecimento.

– Durante a guerra, minha equipe de combate fez um voo estratégico sobre o monte Gargano. Naquele dia, eu não sabia que estávamos tendo a honra de sobrevoar a casa de São Miguel. Só soube da história do local depois, através de um dos aviadores, o tenente Ramirez.

– Como? Nunca tinha ouvido falar de São Miguel Arcanjo, meu filho?

– Não é isso, padre. Quando criança, meu pai havia me contado a respeito de sua aparição sobre o Castelo de Santo Ângelo, em Roma. Mas eu não conhecia a história da gruta do monte Gargano.

– Agora entendi! – O frade sorriu. – Vendo o arcanjo com roupa de guerra, imagino por que a pintura o atraiu.

– Não posso negar que sou um guerreiro e tenho um enorme amor por voar. Como o senhor já havia percebido, sou militar. Só se enganou em um detalhe: não sou soldado. Sou tenente da Força Aérea Americana. Acabei de participar da Segunda Guerra Mundial – revelou Bloom, com o peito estufado.

– Que maravilha! Recebo a ilustre visita de um oficial aviador americano. – O frade fez um afago no ego de Bloom. – Foi a guerra celeste aí retratada que chamou a sua atenção?

– Sim. Não tinha imaginado que até no Reino dos Céus pudesse haver guerra. Sabe como é, padre, esse tipo de atividade bélica é natural dos homens.

– Será? Essa guerra é muito mais antiga do que qualquer uma ocorrida aqui em nosso planeta.

Bloom ficou pensativo.

– Mas entre nós as guerras têm sido constantes, parece que nunca terminam. Essa que está retratada já se encerrou, não é?

– Meu filho, infelizmente, ainda não.

– Se o mundo espiritual já vivia em guerra antes de os seres humanos ocuparem os quatro cantos da Terra e o combate ainda não terminou, imagino que os padres precisem se preparar como guerreiros para exercer corretamente seu ofício.

– Nesse ponto, tenho que concordar com você, rapaz. Apesar de nossas preparações serem diferentes.

– Por que lutaram os seres angélicos? Por que ainda há combate entre eles? O que aconteceu de tão grave no mundo deles para que chegassem às vias de fato?

– A guerra retratada pelo artista se deu por causa da vaidade – respondeu o padre, sério.

– Vaidade? Isso não é coisa típica dos seres humanos? Então há outras criaturas que podem ser corrompidas por esse mal, não é? Em minha opinião, frei Giacomo, as guerras humanas são geradas por dinheiro e poder. Então essa guerra celestial teve causa diferente – concluiu Bloom de modo afobado.

– Toda guerra pelo poder decorre da vaidade, meu filho. Pense bem: quem quer ser visto como poderoso é vaidoso, estou certo?

E antes que você me diga que isso não abarca a questão do dinheiro, posso lhe garantir que o ser humano ganancioso quer dinheiro porque é um símbolo de poder.

Depois de um instante em silêncio, pensando, Bloom se rendeu à sabedoria do homem:

– O senhor tem toda a razão. O sujeito que quer ser visto como poderoso deseja ser mais do que os outros e ter mais dinheiro também. Pior: quer se exibir, mostrando força e domínio.

– Muito bem, rapaz. Vejo que você e eu nos entendemos perfeitamente. Está vendo que Lúcifer, na pintura, está sob o pé de São Miguel?

– Vejo, sim. Está em péssima posição, com uma cara agonizante.

– Ele era o arcanjo mais belo do céu. Já imaginou o que seria isso? – questionou o padre, estreitando os olhos.

– Frei Giacomo, se os anjos são belos como dizem, Lúcifer deve ter sido uma criatura fantástica – respondeu Bloom, com interesse.

– Ainda é, pois não foi destruído.

– Como deixaram o sujeito escapar com vida? O arcanjo Miguel deveria tê-lo executado, provocando seu fim imediato – Bloom deixou escapar.

– Calma, guerreiro! A lógica de Deus não é igual à dos homens. Tenho certeza de que o arcanjo Miguel, em sabedoria muito superior à de qualquer um de nós, tomou a decisão correta de acordo com os planos de Deus.

– Desculpe o meu ímpeto, frei Giacomo – disse Bloom, constrangido.

– Está tudo bem, rapaz. Aliás, tendo em vista nossa conversa, não gostaria de se confessar?

Nessa hora, Bloom percebeu que o padre estava conduzindo a conversa para bem longe de seu objetivo. Não tinha tanto tempo para desperdiçar, precisava colocar tudo de volta aos trilhos para não sair dali de mãos vazias.

– Muito obrigado, frei Giacomo, mas gostaria mesmo era de perguntar sobre alguns dados geográficos e humanos de sua ordem. Pode ser?

– Claro, meu filho. Venha comigo.

O frade começou a atravessar a igreja em passos lentos. Enquanto andava, falou:

– O pior é que Lúcifer conseguiu convencer outras criaturas angélicas a se virarem contra Deus Pai! Já pensou a confusão que isso gerou? Bem maior do que a de Hitler, não acha?

– Ele formou um exército? Conseguiu convencer muitos? – impressionou-se o rapaz.

– Sim, o exército do mal tinha seres de diversos coros angélicos. – A voz do padre ganhou entonação fúnebre.

– Perdoe minha ignorância, frei, mas não entendi. O que são exatamente esses coros angélicos? – perguntou Bloom enquanto frei Giacomo abria uma das portas laterais da igreja com uma chave antiga e pesada.

– Como você me concedeu a honra de vir até aqui para conversar comigo, vou lhe explicar. Você está com o tempo curto? Tem algum afazer urgente, tenente? – indagou o padre em tom solene.

– Vim escutá-lo, como já lhe disse. Então, que eu saia daqui com o máximo de informação possível.

Bloom decidiu deixar o sacerdote conduzir um pouco mais o diálogo. Desse modo, ganharia ainda mais a simpatia dele para, por fim, chegar ao assunto que queria.

– Pois bem, guerreiro, me aguarde um minuto que já volto.

Frei Giacomo lhe deu as costas e saiu pela porta em direção a um enorme armário que estava no corredor. Abriu sua porta preta com um ranger incômodo, pegou uma Bíblia de capa dura e voltou a sentar-se em frente ao americano.

– Existem nove ordens de seres angélicos. São as hierarquias celestes. Seus nomes são serafins, querubins, tronos, dominações, potestades, virtudes, principados, arcanjos e anjos.

O idoso fez uma pausa.

– Inicialmente achei que só existissem anjos. Depois, quando meu pai me contou a respeito de São Miguel, soube também dos arcanjos.

Mas confesso que não sabia que a expressão "seres angélicos" podia se referir a tantos tipos! – Bloom quebrou o silêncio.

– Verdade. As pessoas generalizam e chamam qualquer criatura angélica de anjo. Mas não é assim. Cada uma dessas categorias tem uma função específica. Ora, Deus não iria criá-los diferentes para fazerem o mesmo serviço. Não faria sentido, pois Deus é a Suprema Inteligência.

– Tem toda a razão, padre – concordou Bloom, intrigado com o que ouvia.

– Peguei a Bíblia para mostrar a você que São Paulo já falava em outras categorias que não só a dos anjos.

Com esforço, o sacerdote abriu a pesada capa de couro, equilibrando o livro no outro braço.

– Veja a Carta aos Efésios, capítulo 6, onde São Paulo relaciona os seguintes seres angélicos: principados, potestades e dominações. Já na Carta aos Colossenses, capítulo 1, o apóstolo se refere aos tronos.

O padre ergueu os olhos, lançando um sorriso ao jovem, que o observava, interessado.

– Padre, por que a Igreja Católica não fala mais sobre as hierarquias angélicas? Por que nunca ouvi nada sobre isso nas aulas de catecismo do colégio?

– Não diga uma coisa dessas, militar! É óbvio que a Igreja discorre sobre o tema há muitos séculos. Santo Tomás de Aquino e São Dionísio ensinaram que há três hierarquias, cada uma contendo três ordens de seres angélicos. A primeira hierarquia, a mais próxima de Deus Pai, é composta pelos serafins, querubins e tronos. Na segunda temos as dominações, potestades e virtudes. Na terceira aparecem os principados, arcanjos e anjos. Posso citar, inclusive, a lição de um papa, São Gregório Magno. Ele dizia que, mesmo depois de Lúcifer ter caído do céu por causa de sua soberba, ainda conservou a natureza angélica. O problema é que perdeu toda a sua felicidade, vagando pelo mundo, tentando os homens.

Bloom estava encantado com tudo aquilo, mas precisava cumprir o desejo do pai. Vendo que o sacerdote ficara em silêncio, arrematou:

– Padre, gostaria de lhe pedir um auxílio para chegar até o convento capuchinho de San Giovanni Rotondo.

– Mais um curioso em conhecer padre Pio – respondeu o frade, decepcionado.

Com dificuldade, apoiando-se nos braços da cadeira, levantou-se.

– Frei Giacomo, não quis ofendê-lo com minha curiosidade. Não sabia que muita gente vinha aqui para procurar o padre Pio.

Bloom não queria que o homem se zangasse, pois não poderia sair dali sem as informações preciosas.

– Vamos fazer o seguinte: conversaremos a respeito do assunto na cripta. Sinto que lá encontraremos algo de bom para seus olhos e ouvidos.

O padre conduziu o rapaz pelo braço sem nenhuma resistência.

A cripta, constituída de um ossuário, era o lugar mais visitado pelos turistas, algo diferente, que não havia em outras igrejas próximas dali. A ideia de conversar em um local cercado por cadáveres não atraía muito o militar, mas era melhor aceitar a proposta do homem do que perder de vez sua simpatia.

– Os ossos que você está vendo são dos meus irmãos frades capuchinhos. Estima-se que são as ossaturas de quase quatro mil. Perceba que nossa cripta está dividida em cinco capelas pequenas. Alguns corpos, como aqueles ali, são de frades mumificados e vestidos com o hábito franciscano!

Bloom estava horrorizado, mas não deu uma palavra, pois não queria desagradar o frade.

Giacomo o levou bem próximo dos dizeres da parede de entrada da cripta e os traduziu em voz alta: "Nós éramos aquilo que vocês são, e aquilo que somos, vocês serão." Bloom empalideceu e sentiu calafrios.

– Frei Giacomo, não penso que os dizeres da cripta sejam inteiramente verdadeiros. Em primeiro lugar, não há como saber se os frades, cujos ossos aqui estão, viveram como eu vivo. Tenho muitos méritos, com todo o respeito. Coloquei minha vida em risco pelo povo europeu para livrá-lo das garras de Hitler. Deus há de levar isso em conta no dia da minha morte, não é?

– Depende de como o fez, meu jovem. Já examinou os seus atos? Não só os praticados durante a guerra, mas também os do cotidiano? Você pensa sobre eles? Foram de amor para com o próximo? Você seria capaz de amar alguém que lhe quisesse mal? Um inimigo, por exemplo?

– Claro que não! Não dá para amar alguém que queira minha morte ou derrota. Prefiro derrotá-lo e agredi-lo com toda a minha força.

– Bem, nesse caso você me convenceu. Venha comigo à minha sala, vou marcar em um mapa a rota correta até San Giovanni Rotondo. Acho que você está mesmo precisando conhecer o irmão Pio.

Bloom ficou estupefato. Conseguira o que viera buscar. Mas como exatamente aquilo tinha se dado? Poderia ser uma armadilha? Não, seria improvável, pois as forças de Hitler já estavam totalmente derrotadas.

– Frei, obrigado, o senhor está me prestando um grande serviço. Serei eternamente grato.

– Então, em minha consideração, peça para se confessar com o irmão Pio. Garanto que não vai se arrepender. Outra coisa: a viagem é longa, a estrada é muito ruim e há muitos bandidos espalhados pelo caminho, atacando turistas. Tome cuidado e não vá sozinho, entendeu?

Bloom concordou. Não pretendia ir sozinho mesmo. No mínimo, levaria consigo Connors.

Depois do jantar, Bloom se encontrou com Mark no alojamento dos oficiais. Ambos exibiam um olhar de vitória, cada um por seu motivo particular.

– Connors, consegui! – exclamou o tenente, sacudindo um mapa na frente do amigo.

– O que é isso? Conseguiu o quê?

– A rota para San Giovanni Rotondo. Amanhã mesmo vamos pedir permissão ao comandante para ir até o padre paranormal.

– Como você conseguiu, Bloom? Quem lhe deu as diretrizes?

– Quer saber? Fui até a Piazza Barberini. Lá tem uma igreja que está sob a administração dos capuchinhos. Falei com um deles, frei Giacomo.

– Persuadiu um frade capuchinho a lhe ensinar o caminho até a casa do padre Pio? Conseguiu permissão para falarmos com o paranormal?

– Calma, meu amigo. Não foi bem assim. Frei Giacomo me surpreendeu.

– Não me diga que esse Giacomo é mais um frade paranormal! – brincou Connors.

– Claro que não. Apenas um velhote com uma percepção acima da média. Eu estava à paisana e, sem dar nenhuma informação, o homem já saiu dizendo que eu era um soldado americano.

– Não sou o Ramirez, mas tenho que dizer: isso não está me cheirando bem.

– Não é o que está pensando, Mark. Frei Giacomo é apenas um homem muito culto e inteligente. Aliás, não fui eu que arranquei as informações dele. Depois de conversarmos um bocado, ele chegou à conclusão de que eu deveria ir até San Giovanni Rotondo para falar com o padre Pio.

– Então vamos abortar a missão do brigadeiro. Definitivamente, tem algo de estranho no ar. Por que um frade idoso iria querer sua presença, sabendo quem você é, em um convento da ordem dele, para visitar um irmão paranormal? Alguma coisa não está correta.

– Mark, acho que ele só estava preocupado com a salvação da minha alma. Não tem nada de mais.

– Salvação da alma? Você está doente? – questionou Connors, observando de perto o amigo.

– Deixe de besteira, Connors! O homem é padre. Sacerdotes têm por ofício a salvação das almas, não é? Então não há nada de diferente no ar.

– Pelo visto você já se decidiu. Como prometi ir junto, não há o que fazer. Amanhã vamos falar com o coronel e pedir que ele nos libere. Pensou em qual vai ser a desculpa para viajarmos até a localidade?

– Sim.

– O que vai dizer?

– Que vamos fazer uma peregrinação, pois somos católicos e precisamos agradecer pelo fim da guerra.

– O comandante não é muito inteligente, mas estou quase certo de que ele vai perguntar por que não "peregrinamos" em um local mais perto. Lembre-se de que o Vaticano é logo ali.

– Justamente! Por se tratar de uma peregrinação, o Vaticano está muito perto, não conta. Peregrino tem que ir longe, andar para valer – argumentou Bloom.

– Espere um pouco... quem foi que disse que, para uma peregrinação valer, o sujeito tem que viajar para longe? Não me convence muito essa tese de turismo religioso.

– Ninguém me disse nada a respeito, Mark. Mas acho que vai convencer o coronel, já que ele não entende muito de religião.

– Não sei. Estou achando esse negócio de peregrinos um pouco exagerado. Ele vai desconfiar.

– Não vai. Muitos militares de nossa base são religiosos. Nós seríamos apenas mais dois em um universo imenso. Ele vai "engolir" direitinho, pode deixar comigo – disse Bloom, confiante.

– Tudo bem. Você fala com o Wilson, então.

– Combinado. Agora vamos falar de coisas alegres. Como foi o encontro com a brasileira?

– Cheio de emoções! Vou lhe contar – respondeu Connors, com um gigantesco sorriso.

CAPÍTULO VI

Beth

Olhos esverdeados e amendoados. Um nariz delicado e lábios rosados, cheios como as cerejas do verão romano. O uniforme verde-oliva combinava com os cabelos longos, lisos e solares. A pele delicada sofria com a alta temperatura daquele sábado seco. A barulhenta capital italiana silenciava para que meu pai ouvisse sua fala mansa, em voz de soprano.

Caminharam até o Circo Máximo, parando para contemplar as duas colinas romanas que ladeavam o vale. Havia outros casais no local, mas, como o espaço era imenso, não dava para ouvir o que conversavam.

– Talvez estejamos um pouco fora de contexto aqui – comentou Beth, com um sorriso.

– Claro que não. Somos apenas mais um casal jovem passeando pelo Circo Máximo, contemplando a beleza de Roma. Por que seríamos diferentes dos outros? – quis saber meu pai.

– Como você é pouco observador!

– Ora, sou observador como uma águia.

– Basta olhar ao redor. Nós somos os únicos fardados! Todas as outras pessoas estão vestindo roupas casuais. Olhe para as meninas: seus vestidos são alegres e floridos. E eu estou de verde-oliva.

– Realmente, você tem razão. Eu estava tão concentrado em olhar para você que não percebi.

Connors segurou o braço esquerdo de Beth, trazendo-a para mais perto. A moça imediatamente corou.

– Gosto muito daqui. É lindo. Aquela é a colina Aventina e, mais adiante, onde estão as ruínas do palácio, encontra-se a colina Palatina – explicou Beth, tentando disfarçar sua visível excitação.

– Se refere àquelas ruínas ali? – perguntou Connors, fingindo estar interessado.

Com um movimento suave, aproveitou para chegar ainda mais seu corpo ao dela.

– Exato. Aquele é o Palácio dos Césares. Os imperadores romanos César Augusto, Tibério e Domiciano viveram ali – respondeu a moça, fingindo não perceber que ele se aproximava.

– Tenho a impressão de que, lá no alto, havia uma espécie de terraço ou varandão. Pode ser coisa da minha cabeça, não sei... – disse Connors, brecando um pouco sua investida, colocando a mão sobre a testa para bloquear a incidência do sol em seus olhos.

– Sim, havia varandas mesmo! O imperador Domiciano adorava assistir às corridas de bigas de lá – confirmou a brasileira, olhando dentro dos olhos dele.

Connors sentiu o coração pulsar, querendo vir à boca. Um enorme calor percorreu todo o seu corpo.

– Quanta mordomia tinham esses homens, não é? Eu adoraria assistir aos jogos de futebol americano da varanda da minha casa, pena que não tenho a influência do tal Domiciano – comentou Connors, retribuindo o olhar provocativo.

Os dois riram.

– As corridas se davam exatamente aqui onde estamos. Hoje a pista está toda coberta pelo gramado, mas neste lugar havia uma arena enorme. Cabiam cerca de 250 mil pessoas. Isto aqui ficava lotado, como um grande estádio de futebol! O povo romano adorava espetáculos sanguinolentos – explicou Beth.

Meu pai se aproveitou do momento para enlaçar a cintura dela. Ela não se moveu. Ele girou o corpo até colar no dela.

– Interessante. Mas penso que o povo romano, como qualquer outro, gostava mesmo era do esporte. Vinham aqui para assistir a uma boa competição, e não derramamento de sangue – falou Connors, reclinando-se vagarosamente em direção à sua boca.

– Não acho. Era tudo muito violento, muita gente perdeu a vida nessas corridas de bigas. Era algo selvagem. O povo gostava mesmo era de ver o sangue sendo derramado. Nada disso faz meu gênero. Prefiro como é hoje: o belo gramado e a vista linda do vale!

Instintivamente, ela colocou as mãos espalmadas no peito largo do militar americano, mas não fez força. Meu pai, sem atentar para nada mais, pousou seus lábios nos dela.

Beth se rendeu ao beijo que selou seus corpos e almas. A euforia tomou conta de Mark, que, com sua força bruta, suspendeu a moça do chão. Ela não negou outro beijo. Connors a girou no ar, como quem segura uma criança, e a estirou no gramado, como se dançassem. Ela abriu os olhos verdes para contemplá-lo melhor, mas o sol intenso a impediu.

O capitão se debruçou sobre o corpo delicado da moça, que, de olhos fechados, experimentou outro beijo. Buscando se recompor, ela tentou empurrá-lo para se levantar, mas seus braços longos e fortes a impediram. Sem mais resistência, Beth acabou por se encaixar no abraço do capitão. Ficaram em silêncio, imóveis, por alguns instantes.

– Você é muito abusado! Sei que vai voltar para seu país e nunca mais vai me ver.

– Onde você aprendeu a falar tão bem a minha língua? Quase não consigo perceber seu sotaque – perguntou Connors, ignorando os protestos da brasileira.

– Antes de vir para a guerra, fui enviada a Nova York pelo governo brasileiro para estudar e me aprimorar nas técnicas de salvamento. Fiz parte de um grupo de brasileiros que realizou simulações de atendimento em hospital de campanha com os militares americanos. De qualquer forma, já falava bem o inglês. Aprendi em um curso no Rio de Janeiro. Os dois anos em que morei nos Estados Unidos serviram para aprimorar o domínio da língua.

– Será que você não gostaria de voltar comigo para Boston?

Apesar do sorriso, o convite era sério.

– Você é louco? Mal o conheço... Vou largar tudo o que conquistei para segui-lo em uma aventura? O que eu diria para meus pais? Isso é convite que se faça a uma moça de boa educação?

Sua indignação era, ao mesmo tempo, fingida e verdadeira. Com medo de perdê-la por um pequeno erro de estratégia, ele tentou remediar:

– Não se ofenda. A verdade é que eu gostaria muito de passar mais tempo com você, mas em breve precisarei me apresentar na base aérea de Boston, de onde vim. Sei que provavelmente você terá que cumprir o mesmo tipo de obrigação, já que também é militar. Fico triste em pensar que haverá tantos quilômetros de distância entre nós.

A explicação surtiu bom efeito. Com todo o cuidado, ele tomou seus cabelos de sol nas mãos. Acariciando-os, encarou-a com encanto, tocando seu nariz no dela. Devagar, após fechar os olhos, roçou seus lábios nos dela, pressionando-os levemente.

– Quer saber? Estou apaixonado por você desde o primeiro momento em que a vi. Gostaria que você se casasse comigo o mais rápido possível!

Outra vez o americano não se conteve e, com seu estilo impetuoso, assustou a moça.

– Você acabou de me conhecer! Como pode dizer que me ama? Você é um pouco maluco mesmo.

Ela se levantou, arrumando a saia, limpando as folhas de grama grudadas na roupa. Parecia decidida a ir embora. Connors se ergueu feito um foguete.

– Espere um pouco. Ainda está cedo. Olha, estou dizendo a verdade. Vamos fazer um trato. Escreva em um pedaço de papel seu endereço no Rio de Janeiro. Quando você voltar para casa, vou até lá pedir sua mão em casamento para seus pais. Se eu for, você aceita?

O desafio congelou a moça, que já estava pronta para tomar a direção do acampamento brasileiro.

– Bom, diante de tamanha loucura ou prova de amor, não teria como recusar, apesar de duvidar que tenha realmente essa intenção.

Desconhecendo o espírito determinado de Connors, Beth falou com tristeza, mas aceitou o desafio. Em seu íntimo, a presença dele em sua casa era o que mais desejava na vida.

Connors, por sua vez, jamais prometera algo que não pudesse cumprir e normalmente fazia uso de todo o seu empenho e persistência para atingir os objetivos. Parecia um trator em movimento, nada conseguia detê-lo em sua rota. Apaixonado do jeito que estava, então...

– Não vamos falar de despedidas agora. Ainda tenho algumas horas livres antes de precisar voltar ao meu posto. Gostaria que você viesse comigo a outro lugar que considero muito importante – disse Beth, procurando se alegrar.

– Tudo bem. Com você vou a qualquer lugar do mundo. Além do mais, não conheço praticamente nada de Roma. Andei um pouco com meu amigo Bloom, mas não chegamos a esta parte da cidade.

Connors lhe enlaçou a cintura novamente.

Após uma caminhada contemplando as belezas da cidade, Mark reconheceu o Bolo de Noiva, onde estiveram havia poucos dias. Ela sorriu e apontou a entrada para o Cárcere Mamertino, o local em que tinham se visto pela primeira vez. Ele não conseguiu disfarçar a satisfação, com um sorriso de conquistador.

Quando passaram pela porta da igreja onde estavam os restos de São Tiago Menor e São Filipe, Beth disse:

– É muito importante que as pessoas tenham o hábito de rezar. Diante de tanta violência no mundo, como esta guerra tão horrorosa à qual sobrevivemos, só Deus pode salvar a humanidade.

Ele guardou silêncio, assentindo.

– Ali está! Via San Marcello. Olhe como a rua é estreita, pequenina. Você verá um dos lugares mais acolhedores de Roma, capitão.

Desde quando o conhecera, Beth havia se interessado pelo rapaz. Como era uma pessoa precavida, antes do primeiro encontro decidira colher informações sobre Connors com os oficiais americanos que estavam em tratamento no hospital onde servia como enfermeira.

O que descobrira tinha sido muito satisfatório. Além de bonito, era um homem inteligente e excelente militar. Um dos mais promissores pilotos de combate dos Estados Unidos. Ouvira diversas histórias sobre suas proezas aéreas durante a guerra.

Mark fazia o estilo galanteador, mas não levava muito jeito com as mulheres, talvez por ser um tanto impetuoso. No mais, era uma companhia muito agradável e divertida. Faltava saber, porém, de alguns detalhes importantes para Beth: se era um homem de bom coração e se gostava do convívio familiar. Do contrário, não haveria a menor chance de terem uma relação amorosa.

– É um restaurante? – perguntou Connors, sem entender.

– Não. É o menor santuário mariano de Roma. O lugar onde gosto de fazer minhas orações e tenho certeza absoluta que, durante a guerra, elas foram todas atendidas. Você acredita que Nossa Senhora pode nos trazer bênçãos e graças? Atender as nossas súplicas, capitão?

– Bem, nunca pensei muito sobre o assunto. Ao subir na minha aeronave de combate, faço o sinal da cruz e peço proteção a Deus. Nossa Senhora, não sei. Você está se referindo à Mãe de Jesus?

Connors havia sido pego desprevenido. Não imaginou que um assunto religioso viria à tona em um dia como aquele.

– Ela mesma. Como você não a conhece? Quando nos conhecemos você disse que era católico.

– Sou católico, sim. Fui batizado pelos meus pais, em Boston. E fiz primeira comunhão também.

Connors percebeu que a religião era questão fundamental na vida da brasileira, bem mais importante do que pensara. Não queria desagradá-la.

– Percebo que você não tem muita intimidade com o catolicismo. Há quanto tempo não vai à missa, capitão?

Ela sorriu, esperando uma resposta.

– Olha, com a guerra, a coisa ficou muito complicada para mim. Não sei dizer exatamente quanto tempo faz. Mas, assim que retornar ao meu país, pretendo rever isso – respondeu meu pai, constrangido pela pergunta.

Depois de andarem por uns dois minutos, pararam em frente a um beco estreito, onde era possível avistar a entrada de um pequeno prédio com um portão de ferro em forma de arco.

– Aí dentro tem um santuário? Pensei que fossem locais suntuosos e que devessem comportar uma multidão.

– Não. Como lhe falei, aqui está o menor santuário mariano de toda Roma. É mínimo! Este é o Santuário Maria Santissima Causa Nostrae Laetitiae. – Sua voz refletia a alegria de estar naquele lugar com Connors.

Realmente o lugar era muito pequeno. Os ombros largos do capitão mal pareciam caber lá dentro. Percebendo o interesse com que o americano olhava para o santuário, Beth resolveu dar algumas explicações sobre o local:

– A imagem de Nossa Senhora que você está vendo foi pintada por volta de 1690. Em uma celebração, no ano de 1696, a Virgem Maria que está aí retratada mexeu os olhos diante de toda a assistência. Um milagre! Com isso, a proprietária do prédio decidiu colocar a imagem na entrada, debaixo do pequeno arco do pórtico, para que fosse venerada pela população. Permaneceu lá até o final de 1751.

– Quer dizer que a imagem de Nossa Senhora que está aqui na minha frente mexeu os olhos diante de todo mundo?

Connors não sabia se acreditava naquilo, mas logo mudou de ideia. O que havia acontecido na fracassada missão sobre o monte Gargano era muito mais improvável.

– Mexeu os olhos, sim, e essa não foi a única vez. Depois, ela voltou a mexer os olhos diante de muita gente no ano de 1796, só que

Nossa Senhora foi além: também chorou, por causa da invasão dos franceses ao Vaticano. – O olhar de Beth estava embevecido.

– Incrível! Agora entendo por que você gosta de vir aqui fazer seus pedidos. Beth, você acha que ela faria coisas extraordinárias para um sujeito como eu?

– Sim, certamente. Por quê?

– Porque não tenho nenhuma intimidade com ela. Não me lembro de ter feito uma oração sequer para ela durante toda a vida.

Enquanto o capitão falava, mirava com admiração os olhos da imagem.

– Ela faz coisas incríveis para todos os seus filhos, capitão!

Beth ficou muito satisfeita em ver que no coração daquele homem havia uma semente de fé. E, como estava escrito no Evangelho, se ela fosse bem regada, cresceria e se tornaria uma bela árvore.

– Será que ainda dá tempo de ela me adotar como filho? Como eu faço?

Beth abriu um belo sorriso e perguntou:

– Você não leu a passagem no Evangelho de São João onde Cristo, pendurado na cruz, pede ao apóstolo que leve sua mãe para viver em sua casa?

– Não.

– Junto aos pés de Jesus na cruz, estavam sua mãe, a irmã dela e Maria Madalena. O discípulo, que acreditamos ser João, também estava lá. Com a voz combalida, Jesus disse à mãe: "Mulher, eis aí o seu filho." E, olhando para João, disse: "Eis aí sua Mãe." Desse dia em diante, João recebeu Maria Santíssima em sua casa.

Beth acariciou o rosto de Connors.

– Compreende o significado desse gesto? – perguntou a moça.

Mark ficou em silêncio, perdido nos olhos verdes da moça.

– Jesus entregou toda a humanidade à Maria. Nós ganhamos uma mãe além da nossa biológica – explicou Beth. – Você e eu somos filhos de Maria pelo ato de Jesus. Tenho certeza de que você pode fazer seus pedidos a ela sem problema algum.

Connors sorriu, aliviado, pois tinha um requerimento muito sério.

Muitas vezes ouvi meu pai contar que naquele dia em Roma, no pequeno santuário, implorara à Virgem Maria para se casar com Beth. Pediu também que o matrimônio deles permanecesse impecável por toda a vida. Se foi a mão de Nossa Senhora, eu não saberia dizer, mas os dois só se separaram anos depois, quando minha mãe faleceu.

No fim do dia, ao levá-la de volta, Connors recebeu uma péssima notícia.

– Não queria estragar nosso dia com algo tão triste, mas preciso lhe contar algo.

O tom da voz de Beth o deixou assustado. Com as mãos geladas de preocupação, ele perguntou:

– O que houve? Aconteceu alguma coisa ruim enquanto estivemos juntos?

– Não. Nosso dia foi muito especial. Nunca vou esquecê-lo.

– Então do que se trata, Beth?

– Acho que... não vamos mais poder nos ver.

Connors ficou abatido.

– Por quê? Eu gostaria de vir aqui novamente... de encontrar você mais vezes. Posso? Por favor!

– Não depende de mim. Vou explicar. Recebi ordens para voltar ao Rio de Janeiro depois de amanhã. Não posso contrariar meus superiores. Então, mesmo contra a minha vontade, preciso me despedir de você hoje.

Seus olhos verdes estavam marejados.

– Não pense que vai se livrar de mim assim tão fácil. Cadê o endereço da sua casa que pedi há algumas horas?

– Espere um pouco – disse a moça, pegando um pedaço de papel e uma caneta. – Aqui está.

Ele pegou o endereço e leu. Com toda a autoconfiança, afirmou:

– Pode ter a mais absoluta certeza de que vou procurá-la. Visitarei seus pais no Rio de Janeiro e pedirei sua mão em casamento. Nunca se esqueça disso.

– Mark, não posso ficar esperando eternamente por um suposto pedido de casamento – falou ela, com voz triste.

– Não acho justo também. Fixe, então, um tempo para mim. Até quando vai me esperar?

Ela parou para pensar, fitando-o nos olhos. Depois de um minuto de silêncio, respondeu suavemente:

– Vou esperá-lo por seis meses. E a contagem começa a partir do próximo mês.

– O próximo mês já começa semana que vem.

– Então precisa se apressar. Durante esse tempo, meu coração será seu. Depois, tudo pode mudar.

Os dois se despediram e ela seguiu rapidamente para o alojamento feminino.

CAPÍTULO VII

San Giovanni Rotondo

Na semana seguinte, Bloom e Mark obtiveram a permissão do comandante Wilson para seguir até o lugarejo indicado por frei Giacomo. Justificaram a saída explicando que se tratava de uma peregrinação – o que, para o comandante, não passava de "turismo religioso".

Os dois decidiram ir de moto. Cada um carregava uma pequena mochila nas costas, com provisões e ferramentas para o caso de algum imprevisto. Portavam suas armas, já que as informações do frade a respeito das estradas italianas não eram positivas, mas preferiram ir à paisana, evitando chamar atenção.

Para meu pai, aquela era a chance de saber com exatidão se o padre Pio fora mesmo o responsável pelo fracasso da missão em Foggia. Se sim, teria uma grande oportunidade de revidar. Diria ao frade maligno que ele tivera muita sorte, que o bombardeio só não ocorrera porque ele, o capitão Connors, não julgara necessário. O fato de o homem acessar as aeronaves em pleno voo não havia intimidado em nada os valentes cavaleiros do ar.

Finalmente, depois de algumas horas, os dois se aproximaram de uma construção rústica, isolada em meio à paisagem verde das montanhas italianas. Pela arquitetura, era óbvio que se tratava de um convento. Eles haviam encontrado o lugar onde o padre Pio vivia. Um monastério bem humilde, sem dúvida. Não parecia lugar para abrigar alguém poderoso.

Desceram das motos, deixando os capacetes pendurados nos guidões, e caminharam até a pesada porta do convento. Bateram com força. Depois de poucos minutos, surgiu um jovem frade trajando o hábito da ordem dos capuchinhos. Seu sorriso era capaz de desarmar qualquer tipo de grosseria por parte de forasteiros.

– Boa tarde! A que devo a visita dos irmãos? – disse o homem em italiano.

– O senhor fala inglês? – perguntou Connors.

– Perfeitamente! Os senhores são ingleses?

– Não, frei, somos americanos. Peregrinos. Viemos de muito longe só para trocar algumas palavras com padre Pio – respondeu Bloom antes que Connors falasse qualquer indelicadeza.

Prontamente, o capuchinho abriu por completo a porta maciça e os convidou a entrar.

Meu pai tinha pensado que o convento fosse menor. Caminhando pelo corredor de entrada, frei Piero, o simpático porteiro, explicou que eles não poderiam ir até as celas dos frades. O máximo de acesso que um visitante poderia ter era um pátio ao ar livre, para onde estavam se dirigindo. Lá, a qualquer momento, encontrariam padre Pio. Ele tinha o hábito de tomar seu banho de sol àquela hora e aproveitava a ocasião para conversar com os demais irmãos.

– Você não acha estranho essa facilidade em encontrar o padre Pio? – meu pai sussurrou ao amigo, preocupado.

– Relaxe, Mark. Fiz um trabalho de inteligência perfeito em Roma. Viu como a rota que tomamos foi fácil? Então os frades não desconfiam de nada. Pensam que somos peregrinos em busca de uma bênção do famoso frade – disse Bloom, envaidecido.

Chegando ao local, Connors e Bloom perceberam que a maioria dos frades era bastante idosa. Poucos eram jovens, talvez da mesma faixa etária do porteiro. O grupo não era numeroso. Não encontraram ninguém que falasse inglês, exceto frei Piero. Ele dava um ritmo entrecortado às frases e era possível entender tudo o que dizia. Além disso, parecia compreender bem o que falavam os dois militares. De repente o rosto do jovem frade se iluminou e, radiante, ele anunciou: "Lá vem o irmão Pio!"

Vestindo o hábito tradicional, com a cabeça descoberta, o homem caminhava depressa, apesar de anos antes ter estado gravemente enfermo, tuberculoso. Ao chegar perto dos americanos, ambos se deram conta de que o italiano não era um sujeito grande. Contudo, tiveram a confirmação do que investigavam: aquele era o mesmo rosto que surgira nos céus, sobre o monte Gargano.

– Bloom, não acredito no que estou vendo! Foi ele! – exclamou meu pai, impressionado.

– Meu Deus, como pode?!

Os olhos de Bloom ficaram vidrados no rosto do frade. De perto ele não parecia tão temível como na ocasião do ataque aéreo. Os olhos negros eram profundos como abismos e a barba rebelde despontava do queixo. Apesar do calor, usava luvas marrons. O fato estranho lhes causou certo medo. Mas, de modo geral, aparentava ser um homem de paz. Pio parou diante dos militares e, antes que pudessem saudá-lo, desferiu uma forte bofetada em Connors.

O estalo do tapa pôde ser ouvido por todos os que estavam no pátio. Um silêncio ensurdecedor tomou conta do local. Bloom deu dois passos para trás, assustado. Connors colocou as mãos no rosto e sacudiu a cabeça, como se tentasse recolocar a consciência no lugar.

– Seu moleque atrevido! Nunca mais ouse tentar bombardear meu convento! Tome muito cuidado, porque Deus não vai mais aturar tamanha provocação de sua parte!

Padre Pio agora estava com o dedo em riste, quase tocando no nariz de Connors.

– Irmão Pio, se acalme, por favor!

Com um tom cuidadoso, frei Piero buscava intervir na questão, puxando meu pai pelo braço para junto de si. Temia que o americano revidasse. Imóvel como a cruz de madeira que havia no centro do pátio, o capitão mal respirava. Pensou que estava no meio de um pesadelo.

– E você, rapaz? Há quantos anos não confessa seus pecados? Critica a vaidade dos anjos caídos, mas não consegue enxergar a sua própria. É preciso ter muita paciência para lidar com vocês, americanos! – bradou o frade, apontando para Bloom.

O tenente se fez de surdo e não respondeu ao homem. Tudo parecia irreal. O místico estava, de fato, diante dele. O tapa ficara estampado na face esquerda do amigo. A cabeça fora projetada para a direita e retornara para seu lugar de origem, como a de um joão-teimoso. O mais incrível era que Connors não havia reagido.

– Vai acordar e me dar alguma resposta, americano?

Mais uma vez padre Pio exigia um retorno do catatônico Bloom.

– Como o senhor sabe do meu encontro com frei Giacomo... e do conteúdo de nossa conversa? Não é possível... – balbuciava o jovem.

– Sei que, em sua soberba, você se acha superior aos outros seres humanos. Coisa mais feia, rapaz! Frei Giacomo não tem nada a ver com o que estou dizendo, é um bom sacerdote e já conta com muita idade. Deixe-o em paz. E você, está mudo por quê? – acrescentou o frade, encarando meu pai. – Não se envergonha dos seus atos? Jogar bombas em um convento? Destruir uma casa de Deus? Você deveria me agradecer de joelhos pelo que fiz por vocês. Salvei suas almas! Se causassem a destruição que lhes foi determinada, não teriam como escapar do inferno.

Para total surpresa de Bloom, Connors finalmente falou:

– Perdão, padre. Não tinha sentido algum bombardear esta região. Eu sabia disso, mas não contestei a ordem. Queria sair da guerra como o piloto mais condecorado. Sinto muito, de coração! Garanto ao senhor, porém, que não sabia da existência de um convento aqui.

O tenente assistiu à cena calado. Sabia que a informação dada pelo amigo era verdadeira. As forças de Hitler já estavam muito enfraquecidas quando receberam aquela missão. Era algo desnecessário. A favor da esquadrilha estava o fato de que nenhum de seus componentes imaginava que lá ficava o Santuário de São Miguel. Desconheciam também a existência do convento capuchinho.

Apesar do arrependimento expressado por Mark e da vergonha que sentia por ter sido protagonista daquele vexame aéreo, Bloom só pensava em descobrir como aquele homem fora capaz de subir aos céus e assustar toda uma esquadrilha. Precisava levar aquela informação ao seu pai.

Nesse momento, padre Pio deu um passo em sua direção e segurou-lhe rosto com as mãos. O toque das luvas causou certa aflição ao americano. Sem soltar o tenente, o sacerdote falou:

– Já que você não quis se confessar com meus irmãos em Roma, acho que deveria fazê-lo aqui, antes da missa. Pense bem.

– Padre, não tenho intenção de me confessar nem de participar de nenhuma missa.

– Olhe bem nos meus olhos. Vocês estão pensando que vão sair daqui em alguns minutos, mas não será assim. Então tratem de ficar à vontade. Vou lhes dar um pouco de sossego e tomar um pouco de sol, como meu médico recomendou. Se precisarem de mim, estarei ali conversando com os irmãos mais novos antes de voltar às minhas orações – disse o sacerdote, retirando-se.

Antes que Bloom pudesse protestar, foi interrompido por Connors:

– Deixe-o ir, meu amigo. Há algo de inexplicável na presença deste homem. Quando atingiu meu rosto, causou um rebuliço em meu coração. Sinto uma culpa enorme, não sei explicar. É como se eu tivesse cometido muitos erros em minha vida e precisasse repará-los.

– Quer saber, Mark? Acho que já tenho informações suficientes para apresentar ao brigadeiro. Talvez seja melhor sairmos logo deste convento mal-assombrado antes que o sujeito nos convença a ir ao confessionário.

Bloom não queria arriscar mais nada. Seu pai já ficaria feliz só de saber que ele e Connors estiveram ali com o padre Pio.

– Concorda que o frade tem alguma coisa estranha? Reparou que ele está usando luvas? Está fazendo um calor enorme. Para que isso? – questionou o capitão, segurando Bloom pelo braço.

– Mark, não sei. E não me interessa. Acho melhor irmos andando – convocou o tenente, preocupado com o companheiro.

– O irmão Pio traz os estigmas de Cristo nas mãos. Não gosta de mostrá-los, é por isso que usa luvas em qualquer ocasião – esclareceu frei Piero.

– Estigmas? O que é isso? – perguntou Connors.

– Os sinais dos pregos com que Cristo foi crucificado, além da marca da cruz sobre o ombro.

– Sinceramente, acho isso de péssimo gosto, frei. O homem se mutilou só para parecer com Cristo? – indagou Bloom.

Piero riu, um tanto desconcertado.

– Não é isso. Quem colocou essas feridas no corpo do irmão Pio foi o próprio Deus, de forma mística.

Os americanos arregalaram os olhos, sem saber se acreditavam naquela informação.

– Estou achando o homem ainda mais sinistro, Bloom – Connors falou baixinho.

– Não diga isso. O irmão Pio é um santo – arrematou o jovem frade, que conseguiu ouvir o comentário.

– Se é ou não é, não quero descobrir. Já colheu toda a informação de que precisava, Bloom?

– Já, sim. – Voltando-se para o sacerdote, Bloom falou: – Frei Piero, será que poderia nos mostrar o caminho da saída? Já tomamos muito do seu tempo.

– Claro. Venham por aqui.

Eles saíram a passos largos, sem pronunciar nenhuma palavra.

– Só uma pergunta, se me permitem – Piero rompeu o silêncio.

– Pode perguntar, padre – disse Connors.

– Onde aprenderam o dialeto falado pelo irmão Pio?

Sem entender o que o frade queria dizer, os militares se entreolharam.

– Percebi que os senhores entendiam perfeitamente o que o padre Pio lhes dizia. Fiquei muito impressionado – afirmou Piero.

– Padre, acho que o senhor está com algum problema de audição. Ele falou o tempo todo em inglês – disse Bloom.

– Só mesmo o irmão Pio para fazer algo assim! Todos sabem que ele nunca aprendeu outro idioma que não fosse o de seu povoado natal – falou o frade, depois de gargalhar. – Ele, de fato, é o homem mais extraordinário que já conheci. É uma bênção poder servir a Deus aqui, no mesmo convento em que ele está – declarou o homem, visivelmente feliz.

Os americanos se entreolharam de novo, mas acharam melhor deixar tudo do jeito que estava. Cruzaram a pesada porta de saída. Despediram-se de frei Piero e andaram em direção às suas motos. Era uma sexta-feira 13, dia que nunca mais saiu da memória dos dois.

Recordo-me da última sexta-feira que passei com meu pai, na sua casa em Boston. Ele já estava bastante debilitado. Em determinado momento da noite, me pediu que rezasse o terço com ele, em honra do padre Pio. Fiquei desconcertado, pois não tinha o hábito de rezar, muito menos o terço. Pedi uma breve explicação de como deveria fazer. Ele me disse para não ficar preocupado, era só responder as Ave-Marias e os Pai-Nossos; o resto era por sua conta.

Anunciou que recitaríamos os mistérios dolorosos, relembrando a Paixão de Cristo. Adequavam-se bem àquele momento da sua vida, pois, de certo modo, sofria com o câncer sua própria e terrível Paixão. Não estava crucificado nem tinha os estigmas como padre Pio, mas sentia pregos e espinhos por todo o corpo.

Dores lancinantes o invadiam dia e noite. Mesmo assim, sua voz valente se fazia ouvir: "Ave, Maria, cheia de graça, o Senhor é convosco. Bendita sois vós entre as mulheres e bendito é o fruto do vosso ventre, Jesus." Contendo o choro, eu completava: "Santa Maria, Mãe de Deus, rogai por nós, pecadores, agora e na hora de nossa morte. Amém."

Em dado momento, na hora em que meu pai meditava o terceiro mistério – a coroação de espinhos de Jesus –, pude ouvi-lo dizer "*Ecce Homo*" por três vezes. Ao final, deu uma risada curta. Naquele momento, me assustei e pensei que ele estava delirando. Reconheci a frase em latim, mas não entendi por que meu pai a enunciava.

– Pai, o que quer dizer com isso? Está tudo bem? Quer que eu vá buscar um copo d'água? Depois podemos continuar nossa oração.

– Rafael, logo antes de ser apresentado por Pôncio Pilatos à plateia sanguinolenta que desejava seu fim, Jesus tinha sido flagelado. Ele estava prestes a ser condenado à morte. Encontrava-se todo desfigurado pela tortura. Pilatos desferiu tais palavras anunciando ao público sua presença.

– Pai, não entendi. Já rezamos o segundo mistério, em que contemplamos a flagelação de Cristo. Agora estamos para rezar o terceiro, lembra?

Pensei que ele havia sofrido algum tipo de amnésia momentânea e não conseguia se situar no tempo. Paciente, ele não reagiu à minha assertiva. Apenas me deu a Bíblia aberta no Evangelho de São João, capítulo 19, dizendo:

– Meus olhos estão fatigados. Leia para mim, meu filho.

– "Pilatos saiu de novo e disse: 'Vejam. Eu vou mandar trazer aqui fora o homem, para que vocês saibam que não encontro nenhuma culpa nele.' Então, Jesus foi para fora. Levava a coroa de espinhos e o manto vermelho. Pilatos disse-lhes: 'Eis o homem!'"

Parei e ergui os olhos para encarar um moribundo sorridente.

– Pois é... *Ecce Homo*. Foi exatamente o que Pilatos disse. Depois eles gritaram: "Crucifica-o! Crucifica-o!" Não é isso que está escrito aí?

O olhar de Connors era de triunfo.

– Exato, pai. Mas por que se lembrar da frase de Pilatos agora?

– Não me lembrei como se fosse um acontecimento isolado em minha memória, Rafael. Recordei-me do dia em que participei da primeira missa do padre Pio.

– Pai, agora sua explicação está se tornando ainda mais confusa. O que tem a ver a frase de Pilatos com a missa?

– Você é muito ansioso, Rafael. Já não tenho tanto fôlego. Preciso fazer as coisas sem pressa. Vou lhe contar tudo com detalhes.

Meu pai se pôs a narrar o que havia acontecido com ele e Bloom assim que deixaram o convento de San Giovanni Rotondo.

Já sob a penumbra, poucos minutos após a partida, os militares tiveram a sensação de que estavam sendo seguidos. Em uma curva de terra batida, avistaram um homem estranho que também vinha em uma moto, logo atrás deles. Eles resolveram parar e verificar quem era e o que queria.

Para a surpresa dos americanos, o homem parou sua moto bem perto e, enquanto caminhava na direção deles, exigiu aos berros, num inglês péssimo:

– Coloquem no chão tudo o que vocês têm! Quero dinheiro e qualquer coisa de valor!

– Infelizmente, Bloom, vamos precisar dar uma lição nesse sujeito – disse Connors, preparando-se para sacar a arma que trazia na cintura.

Sua última visão antes do breu foi uma enorme pedra. O sangue vertia de sua cabeça em grande quantidade, escorrendo pelos olhos e lábios.

Bloom não teve tempo de pegar a arma. Viu-se cercado por três homens que agarraram seus braços. Conseguiu dar um forte chute na barriga do mais alto, mas os demais desferiram uma saraivada de golpes. Dobrou o joelho direito, sentindo as fortes pancadas nas costelas, mas conseguiu proteger o rosto.

Enquanto isso, nada podia fazer para ajudar Connors, que estava sendo massacrado a pauladas por outros dois bandidos. Quando fez menção de impedir que o matassem, foi derrubado por três homens, que lhe deram cotoveladas e chutes.

Quando Bloom estava perto de desmaiar, avistou um jipe da base aérea. Dele desceram Ramirez e Bartmont. Com uma precisão incrível, o tenente de olhos puxados dominou o homem que carregava o porrete de madeira, atirando-o ao chão. Quando o outro bandido se aproximou para socá-lo, Bartmont acertou um chute seco em sua virilha. Com os dois marginais fora de combate, Ramirez arrastou Connors, já desmaiado, para debaixo de uma árvore.

Bartmont, então, partiu para cima dos outros três assaltantes que espancavam Bloom. Não teve muito trabalho para acabar com todos, fazendo uso de movimentos velozes e precisos.

– Meu irmão, onde você aprendeu isso? – perguntou Ramirez, estupefato.

– Em casa.

– Nunca vi nada parecido. O que é isso? – indagou Bloom, que tentava se aproximar de Connors.

– Ving Tsun – respondeu Bartmont.

– Algum tipo de arte marcial? – quis saber Ramirez.

– É um estilo de kung fu, originário da terra da minha mãe, do sul da China.

– Então você aprendeu com sua mãe? – perguntou Bloom.

– Exatamente. Meu pai nunca se interessou por esse tipo de luta, prefere praticar boxe.

– Pena que o Connors já estava nocauteado. Iria gostar de ter visto você em combate – disse Ramirez.

Os militares amarraram os marginais, deixando-os na beira da estrada. Era tentador abandoná-los à própria sorte, mas seria preciso comunicar às autoridades locais para que fossem até lá identificá-los e prendê-los. Além do mais, Bartmont já os castigara suficientemente. Com muito cuidado, colocaram Mark dentro do jipe. Apesar de muito machucado, Bloom conseguiu entrar sozinho no veículo.

– E agora? Mark precisa urgentemente de atendimento médico. Estamos no fim do mundo, longe de tudo – falou Bartmont, preocupado.

– A única solução é voltar e pedir ajuda no convento de onde viemos – concluiu Bloom.

– Tem toda a razão. Vou dirigindo o mais rápido que puder – disse Ramirez.

Durante o percurso, Bloom quis saber como seus amigos souberam que ele e Connors estavam em apuros.

– Quando chegamos ao alojamento, demos por falta de vocês. Bartmont se lembrou de que vocês tinham dito que iriam até San Giovanni Rotondo por esses dias. Então ficamos em estado de alerta – respondeu Ramirez.

– Tinha certeza de que iriam se meter em alguma enrascada – completou Bartmont. – Depois da experiência que tivemos com aquele homem nas nuvens, não era prudente enfrentá-lo de novo em sua própria casa. Chamei o Ramirez e fomos até o comandante Wilson para confirmar onde vocês estavam.

– Quando Wilson falou que vocês estavam fazendo "turismo religioso" em San Giovanni Rotondo, pedimos permissão para segui-los. Ele fez aquela cara de idiota e questionou nossa religiosidade. Ficamos em silêncio e ele acabou nos liberando. E, pelo visto, chegamos bem na hora! – exclamou Ramirez.

Em menos de dez minutos, os militares chegaram à porta do convento de padre Pio. Foram recepcionados mais uma vez por frei Piero.

– Nossa Senhora, o que aconteceu a vocês? – perguntou o religioso, com os olhos arregalados.

– Frei, precisamos de cuidados médicos. Mark está desacordado há um bom tempo. Fomos atacados por bandoleiros na estrada, perto daqui.

– Entrem. Vou providenciar os cuidados devidos com o irmão Bordi. Ele é nosso médico.

– Um padre médico? – perguntou Ramirez.

– Sim. Ele era médico antes de ser chamado pelo Senhor para integrar a nossa ordem religiosa. É uma graça para nós tê-lo conosco.

Ele é quem cuida de nossas mazelas. Fiquem tranquilos, é excelente no que faz.

– Não temos outra escolha – disse Bartmont.

Enquanto era carregado por Ramirez e Bartmont, Connors acordou. Não enxergava com clareza, via tudo um pouco nublado. Sua cabeça doía muito. Seu corpo parecia estar todo quebrado. Percebeu que estava nos braços de seus companheiros de esquadrilha, mas não teve forças para perguntar o que tinha ocorrido e desmaiou novamente.

Bloom vinha andando bem atrás, amparado por frei Piero. Sangrava muito, especialmente na boca e no nariz. Seus olhos estavam muito inchados, até fechados. No supercílio esquerdo havia um corte profundo. A camisa estava toda rasgada e podiam-se ver os hematomas espalhados pelo corpo.

– Meu Deus! Mais uma cena de guerra. O que aconteceu com esses homens, Piero? – perguntou Bordi, assustado.

– Eles foram vítimas dos marginais que andam atacando o povo nas estradas.

– Que estado terrível! Leve-os para a enfermaria, rápido!

– Senhores, não se preocupem. Podemos cuidar perfeitamente deles por aqui. Se quiserem ficar conosco, posso providenciar com o nosso superior um aposento para ambos – disse Piero a Ramirez e Bartmont.

– Na verdade não podemos ficar. Somos militares americanos. Precisamos retornar à nossa base aérea. Viemos até aqui para ajudar nossos amigos, pois o comandante informou que eles tinham vindo. Ficamos preocupados e decidimos ver o que estava acontecendo. Ainda bem que chegamos a tempo – respondeu Bartmont.

– Sabem que não podem levar nenhum dos dois feridos, não é? Eles não suportariam a viagem – comentou frei Bordi.

– Sim – responderam em conjunto.

– Muito bem. Vou falar com o nosso superior. Preciso avisar que temos dois visitantes necessitando de cuidados médicos e que só partirão daqui quando estiverem recuperados. Enquanto isso, irmão Piero os levará até a saída.

– Frei, voltaremos outro dia com mantimentos e medicamentos para ajudar nossos amigos – disse Ramirez.

– Ótima ideia. Ficaremos muito agradecidos. Não temos um bom estoque de material por aqui. Seria uma doação importante.

Os militares foram conduzidos por frei Piero até o portão. Despediram-se, visivelmente preocupados. Teriam que levar ao comandante Wilson uma péssima notícia. Esperavam apenas que o homem tivesse o mínimo de compaixão e deixasse que eles retornassem com a doação de medicamentos prometida ao convento de San Giovanni Rotondo. Mas o tenente-coronel era imprevisível.

CAPÍTULO VIII

Provisões

O sol já se escondia por trás das colinas quando os dois jovens chegaram, exaustos, à base militar.

Assim que deixaram o jipe na garagem, pediram permissão para falar com o coronel Wilson. Não combinaram nenhum discurso. Dessa vez o caso era urgente e eles acharam melhor informar o quadro real e pedir ajuda ao comandante, do contrário Connors poderia não sobreviver.

– Por que tanta pressa em me ver? O que foi desta vez? – grunhiu o comandante de sua escrivaninha, sem erguer os olhos.

– Comandante, estamos com um problema muito sério – começou Bartmont.

– Espero que não tenham feito nenhuma bobagem em San Giovanni Rotondo. Não quero me arrepender de ter dado folga para vocês. Já basta a vergonha que vocês me fizeram passar perante o Alto-Comando.

Sempre que podia, Wilson encaixava na conversa o tema da missão fracassada de Foggia.

– Coronel, saímos hoje daqui com a intenção de nos encontrarmos com o tenente Bloom e o capitão Connors – contou Ramirez.

– Sim, eu sei. Eu os liberei para a tal peregrinação. Não entendi muito bem do que se tratava. Era alguma coisa relacionada ao catolicismo. Não sabia que vocês todos estavam metidos no mesmo negócio – concluiu Wilson, desconfiado.

– Não estamos, senhor. Eu, por exemplo, sou budista. O Ramirez é que é católico – disse Bartmont, sob o olhar de censura do companheiro.

O comandante, impaciente, fez cara de desgosto.

– E por que um budista foi peregrinar com católicos, tenente? Não estou gostando muito dessa história.

– Comandante, nós não falamos toda a verdade para o senhor. Não fomos fazer peregrinação com o capitão Connors e o tenente Bloom. O que aconteceu foi que ficamos muito preocupados porque os dois viajaram para a mesma região onde aconteceu o nosso fracasso aéreo – explicou Bartmont.

O rosto do comandante começou a inflar de ódio. Seus olhos ficaram vermelhos e sua respiração se tornou ofegante.

– O quê?! Seus insubordinados! Foram todos para Foggia? Sem minha permissão? Para fazer o quê? – berrou a plenos pulmões.

– Calma, comandante – pediu Ramirez. – Foi o senhor quem nos liberou. Nós lhe dissemos onde seria a peregrinação: um convento capuchinho em San Giovanni Rotondo.

– Exatamente, San Giovanni Rotondo. Mas não me contaram que ficava na província de Foggia!

Os dois tenentes se olharam, assustados com a ignorância geográfica do homem, mas sabiam que qualquer tipo de censura poderia causar um desastre para o grupo.

– Comandante, está havendo alguma confusão. O convento capuchinho de San Giovanni Rotondo fica na província de Foggia. Nenhum de nós mentiu – retrucou Bartmont, calmo.

– Se eu soubesse que se tratava disso, nunca os teria deixado partir!

Os tenentes estavam com um problema muito mais sério do que imaginaram. O coronel sentia-se enganado pelos militares. Como conseguir os remédios e mantimentos de que Connors tanto precisava? O tempo corria contra eles.

– Coronel, o senhor precisa nos ouvir. Não dispomos de muito tempo – pediu Bartmont.

– Bartmont tem razão. O capitão Connors está entre a vida e a morte – disparou Ramirez.

Wilson ficou mudo, com a face lívida e os lábios roxos. Tirou os óculos, arremessando-os com violência sobre a mesa. Passou a mão na testa e se levantou da cadeira.

– Podem falar. Estou ouvindo. – Foi tudo o que o coronel conseguiu dizer.

Voltando a se sentar, entrelaçou as mãos no colo. Parecia desolado.

– Quando chegamos a San Giovanni Rotondo, encontramos os dois em uma estrada de terra batida, perto do tal convento capuchinho – explicou Ramirez.

– Eles estavam sendo atacados por cinco bandidos. Connors já estava inconsciente no chão. Um homem chutava seu corpo enquanto outro batia em sua cabeça com um pedaço de pau. Bloom estava de joelhos, sendo golpeado por outros três marginais – narrou Bartmont.

– Coronel, o tenente Bartmont acabou com todos eles em tempo recorde. Nunca vi nada parecido, nem em filme!

– Ramirez, se o tenente Bartmont é esse lutador extraordinário, onde estão os meus outros dois militares? Por que não retornaram à base? Foram abandonados em combate pelos senhores? – gritou Wilson, descontrolado.

– Não, comandante. Estamos tentando explicar o que ocorreu para o senhor – disse calmamente Bartmont.

– Senhor, o tenente Bloom está bastante ferido, mas passa bem – Ramirez foi direto ao assunto. – O estado do capitão Connors é grave. Ele está desacordado e corre risco de vida. Está na enfermaria do convento capuchinho. Mas está sendo assistido permanentemente por um médico.

Wilson deu um pulo da cadeira.

– Tenente Bartmont, vá imediatamente até a nossa enfermaria e procure pelo Dr. Carl. Pegue todos os medicamentos necessários com ele e retorne o mais rápido possível. Vou comunicar o ocorrido ao Alto-Comando. Quero partir em meia hora para Foggia, entenderam? Tenente Ramirez, abasteça o jipe. Pegue armas, alimentos e provisões. Os dois irão comigo. Andem logo, vamos, homens!

Os tenentes saíram em disparada, cada qual para uma direção.

Quarenta minutos depois, o trio saía da cidade de Roma. Estavam armados até os dentes, carregando as provisões para os frades capuchinhos. Por causa das péssimas condições da estrada, só chegaram a San Giovanni Rotondo ao amanhecer.

Wilson nem esperou pela parada do jipe: pulou sobre a porta, correu até o portão do convento e começou a esmurrá-lo, para que alguém o abrisse logo. Deu de cara com frei Piero.

– Sou o coronel Wilson, da Força Aérea dos Estados Unidos. Estou aqui para ver meus homens. Soube que estão feridos, sob seus cuidados – disse solenemente.

– Bom dia. Estávamos esperando pelos senhores. Podem entrar. Venham comigo, por favor – pediu o porteiro, com sua cordialidade de sempre.

Os tenentes seguiram o comandante porta adentro. Piero os conduziu até a sala do superior do convento. Era preciso decidir o que fazer com os feridos.

– Comandante, seja bem-vindo, sou o frei Alberto. Estamos cuidando de seus homens.

– Padre, os Estados Unidos agradecem muito a bondade dos frades capuchinhos. Não tenho palavras para dizer quanto isso significa para nós. Qual é o estado dos rapazes?

– Um deles já está vindo para cá. Está muito machucado, com hematomas pelo corpo todo, tem o nariz e duas costelas quebradas e manca de uma das pernas. Já foi avisado sobre sua presença e vai se apresentar a qualquer momento.

Após uma breve pausa, analisou as feições dos militares e prosseguiu:

– O outro, infelizmente, está em coma. Temos rezado muito por sua recuperação. Segundo nosso médico, frei Bordi, não há muito o que fazer. Não é possível transportá-lo para Roma, pois certamente morreria no caminho.

– Gostaria muito de vê-lo, frei.

– Pois não. Frei Piero vai levá-lo até onde se encontra o rapaz.

Wilson, Ramirez e Bartmont deixaram a sala de frei Alberto com passadas largas. Ao descerem um lance de escadas, viram Bloom ao fim do corredor, andando apoiado em uma bengala.

– Coronel, graças a Deus o senhor chegou!

O comandante foi como uma flecha em direção a Bloom. Tomou cuidadosamente o rosto do rapaz em suas mãos, analisando seu estado. Fez uma cara horrível quando constatou que o tenente estava com os olhos muito roxos e inchados e tinha um corte recém-costurado em um dos supercílios. Viu o nariz arrebentado, os galos na testa e os lábios disformes.

– Parece que a batalha foi violenta, tenente Bloom.

– Coronel, fomos surpreendidos covardemente por bandoleiros na saída da cidade. Tentei salvar o capitão Connors, mas não tive forças. – A voz de Bloom falhava por causa da emoção.

– Gostaria de ter chegado antes aqui, tenente. Infelizmente, a distância e a péssima estrada me atrasaram. Graças à prontidão de seus companheiros de esquadrilha, conseguimos trazer provisões e medicamentos no menor tempo possível. Só não sabemos se a vida do capitão Connors será salva – falou o coronel em voz baixa.

Ramirez e Bartmont se entreolharam, espantados: era a primeira vez que Wilson os elogiava publicamente.

– Coronel, o senhor é um homem bom – foi tudo o que conseguiu dizer Bloom, com os olhos marejados.

– Guarde suas forças, tenente. Sei que deve estar abalado. Qualquer um estaria. Não precisa falar nada. Ramirez e Bartmont já deram todas as informações a respeito do caso. Agora vou ver o capitão.

Wilson deu dois passos em direção às escadas, então fez meia-volta e encarou novamente Bloom:

– Você está sendo bem tratado, rapaz?

– Sim, comandante, os frades daqui são homens especiais. Mesmo os que não falam nossa língua têm sempre um sorriso para mim e buscam se comunicar através de gestos.

Wilson assentiu e partiu em direção a Connors.

Quando a porta se abriu, o coronel teve uma surpresa desagradável. Seu melhor piloto, que cumprira tantas tarefas perigosas durante a guerra, parecia um cadáver sobre o pequeno leito de madeira, próximo à única janela do recinto. Frei Bordi estava ao seu lado.

– Comandante, agora a situação está nas mãos de Deus. Os recursos médicos já não são suficientes para trazer este jovem de volta à vida.

– Doutor, este é o meu melhor militar. O senhor precisa dar um jeito. Há uma recepção preparada para ele pelo Comando Militar em Boston, com direito a condecorações e títulos importantes. Não posso desembarcar em meu país sem este rapaz vivo – disse Wilson, muito preocupado.

Para quebrar um pouco o clima de enterro. Ramirez questionou, depois de notar uma cadeira de madeira e uma mesinha:

– O capitão fica sozinho aqui?

– Não, tenente. Toda noite um dos frades fica aqui em vigília. Senta-se nessa cadeira e se põe em oração pelo doente. Se for preciso, sou chamado em minha cela – explicou frei Bordi.

– Padre, se for preciso, esta noite ficarei com o capitão Connors, apesar de não saber rezar. Infelizmente não sou um homem religioso – falou Wilson.

– Comandante, ficamos felizes em ver o amor que tem pelos seus comandados, mas esta noite já temos um frade designado para ficar aqui. Se eu fosse o senhor, não tentaria substituí-lo – interveio frei Piero.

– Por quê? É alguém especial? Confiam tanto assim na oração deste homem?

– Não posso responder pelos meus irmãos capuchinhos, mas tenho certeza de que a oração dele é diferenciada. Já vi coisas incríveis vindas desse homem.

– Então vamos mantê-lo. Quem é o frade que ficará esta noite com o capitão Connors? – perguntou Wilson, desolado com o quadro que estava vendo.

Ele sabia que a medicina não teria mesmo condições de salvar o rapaz. Ponderou, então, que um pouco de fé não faria mal a ninguém.

– Padre Pio.

Ao ouvir o nome, Ramirez deu dois passos para trás, batendo com as costas na parede.

– Algum problema, tenente? – indagou o comandante.

– Não, senhor. Assustei-me com um inseto que pousou em meu nariz. Nada de mais, me desculpe – respondeu o atrapalhado militar.

Bartmont o fuzilou com o olhar e sussurrou:

– Preste atenção, Ramirez! Não abra a boca para falar sobre o tal frade paranormal, entendeu?

– Tudo bem, só não quero encontrá-lo – respondeu baixinho o cubano.

– Gostaríamos que participassem do nosso almoço. Será servido daqui a quinze minutos. Preparamos também duas celas para os senhores, no andar de cima. Fiquem conosco o tempo que desejarem – disse Piero.

– Muito obrigado. Aceitamos com satisfação o convite para o almoço, mas, como nossa presença aqui não é imprescindível, partiremos logo em seguida. Viemos trazer mantimentos e ver o estado de saúde dos militares. Como os dois já estão recebendo o melhor tratamento possível, retornaremos à base aérea. Dentro de uma semana estaremos aqui novamente para buscá-los. Espero encontrá-los recuperados – respondeu Wilson, sem acreditar nas próprias palavras.

O almoço transcorreu com tranquilidade. Os tenentes estavam impressionados com o comportamento humano e caridoso do comandante. Não imaginavam que Wilson tivesse um coração tão bom. Acabaram concluindo que tinham sido sempre tão perseguidos pelo coronel porque ele os tinha em alta estima. Queria que fossem cada vez melhores, não aceitando que errassem.

Para alívio de Ramirez, o grupo partiu em direção a Roma antes de um possível encontro com padre Pio. Ele não pôde comparecer ao almoço, pois estava celebrando uma missa em uma igreja próxima. Frei Alberto fez questão de acompanhá-los até o portão do convento, despedindo-se deles com uma bênção, que surtiu efeito, pois não encontraram nenhum tipo de adversidade no caminho.

Enquanto Connors agonizava na cama, Bloom participava de todas as atividades do convento, vivendo o dia a dia dos frades como se fosse um membro da ordem. Isso ocupava sua mente e fazia com que esquecesse um pouco o drama que estava vivendo. Aprendeu rapidamente a liturgia das horas e a oração do terço.

Pouco antes das sete da noite, pediu permissão a frei Bordi para rezar um pouco ao lado de Connors. Sentou-se na cadeira vazia, com um terço de madeira na mão. Antes de começar, resolveu falar algumas palavras ao capitão:

– Mark, os frades do convento pensam que você não tem mais cura. Dizem que só um milagre pode trazê-lo de volta. Não sei se você ouve o que estou falando. – Tocou delicadamente na cabeça do amigo. – Estive conversando com frei Bordi hoje. Ele acredita que os pacientes em coma podem escutar o que as pessoas falam, por isso resolvi vir até aqui. Queria que você soubesse que estou muito arrependido de tê-lo trazido comigo para San Giovanni Rotondo.

As lágrimas desceram pelo rosto do tenente.

– Sinto muito por você estar dessa forma terrível. Você não imagina a culpa que sinto. Está arrebentando minha mente, meu espírito e meu coração! Gostaria que o tempo pudesse voltar... – disse Bloom com muita dificuldade. – Às vezes, quando estou sozinho, não posso evitar o pensamento de que causei sua provável morte. Sinto uma dor terrível no peito. Se pudesse, trocaria a minha vida pela sua. Até mesmo Wilson veio visitá-lo. Ficou muito perturbado com o que viu. Quase chorou. Você entende o que estou falando, meu amigo?

Bloom se aproximou mais de Connors, ajoelhando-se ao seu lado.

– Você não pode morrer, Mark! Lute até o fim! Você é o maior guerreiro que nossa Força Aérea já conheceu. Não deixe que esses ferimentos acabem com você, por favor...

O tenente baixou a cabeça e começou a chorar compulsivamente.

Depois de uns minutos, parou. Percebeu que Connors respirava calmamente, como se estivesse em paz. Achou aquilo muito estranho. Alguém tão jovem, com uma carreira brilhante pela frente, não poderia estar tão tranquilo em seu leito de morte. Seus pensamentos foram interrompidos pelo barulho da porta se abrindo.

– Menino, o que está fazendo no meu lugar?

A voz era inconfundível. Bloom se virou e se deparou com padre Pio. O frade estava sozinho e tinha um olhar bondoso.

– Padre, não sabia que o senhor ficaria aqui hoje. Estava rezando pelo meu amigo, aprendi com seus irmãos. Soube que a medicina não pode fazer mais nada por ele. Espero que Deus possa.

– Deus pode tudo, meu filho. Você já foi se confessar, como aconselhei? Vejo que há uma tremenda culpa partindo sua alma – disse o frade, sentando-se na cadeira e retirando o terço de contas pretas do bolso.

– Não queira me impressionar com sua telepatia, padre. Já sei do que é capaz e não tenho medo. Só espero que o causador de toda a dor que eu e meu amigo sentimos não seja o senhor. Lembro que, no dia em que nos conhecemos, o senhor disse que estaríamos de volta ao convento muito antes do que imaginávamos. Será que nos rogou uma praga? – questionou Bloom agressivamente.

– Baixe suas armas, garoto. Ainda não aprendeu a reconhecer seus inimigos? Acredita que um pobre servo de Deus desejaria o sofrimento de uma pessoa? – perguntou Pio, com cara enfezada.

Bloom não respondeu. Levantou-se para sair, pois já tinha dito tudo o que queria a Connors.

– Lembre, meu filho, que vocês retrocederam a tempo, apesar das ordens recebidas para aquele bombardeio. Deus, em seu julgamento, leva em conta todos os atos de uma pessoa, desde o dia de seu nascimento até o da sua morte.

Por um instante, Bloom parou e virou a cabeça para o sacerdote. Não compreendeu o que aquela frase significava. Decidiu, contudo, partir sem pedir explicações.

Ao deitar em sua cama, Bloom se deu conta de que o homem outra vez lhe falara em inglês! Como era possível? Provavelmente o frade fingia para os demais que não sabia o idioma. No fundo era um exímio conhecedor da língua. Aquilo só serviu para deixar o tenente mais confuso. Afinal, o padre Pio era um homem de Deus ou não?

No dia seguinte, bem cedo, depois da oração com os frades e da missa, Bloom sentou-se à mesa para o café da manhã. Ao seu lado estava frei Piero, com seu sorriso habitual.

– Frei, desculpe perguntar, mas o padre Pio é um homem bom?

– Irmão Bloom, ele é um verdadeiro santo. Nunca tive contato com um homem mais abençoado em toda a minha vida Se existe alguém que pode obter um milagre junto a Deus, é ele!

– Infelizmente não sei se acredito em milagres. Estive ontem, durante um tempo, ao lado de Connors. Ele parecia um cadáver. Meu coração está em profunda dor. Não paro de pensar que matei meu amigo!

– Não diga uma coisa dessas! Você é um homem muito bom, irmão Bloom. Todos os frades estão admirados com sua disciplina e capacidade de aprendizado. Já reparou que, mesmo sem falar a sua língua, eles o tratam como a um dos irmãos?

– Vocês são especiais. Há uma atmosfera de paz e harmonia dentro deste convento que faz com que meu coração às vezes se esqueça da tragédia que causei.

– Irmão, você não causou nada. Vocês foram surpreendidos por bandidos em uma estrada. Poderia ter acontecido a qualquer um.

– Frei, será que Deus nos castigou?

– Não entendo. Por que o Pai iria querer castigar vocês?

– Não lhe contei, mas nossa esquadrilha quase bombardeou este convento.

Ao escutar Bloom, o rosto do frade se transformou.

– Mas por que razão alguém atiraria uma bomba em um local de oração?

– Não sabemos responder a essa pergunta, frei. A verdade é que eu e Connors, além dos outros militares, fomos designados para uma missão aérea nesta região da Itália. Quando nos aproximamos do monte Gargano, porém, a face do irmão Pio apareceu diante de nós em pleno céu, ordenando nossa retirada. – Os olhos do frade se arregalaram e Bloom continuou: – Sei que parece difícil de acreditar, mas é verdade. Se não fosse pelo padre Pio, não estaríamos aqui tendo esta conversa hoje.

– Meu Deus! Que coisa terrível. E que poder de intercessão impressionante tem o irmão Pio diante do Pai!

– Sinto muitíssimo por tudo. Talvez, como lhe disse, Deus tenha se enfurecido e decidido nos castigar.

– Acho pouco provável, irmão Bloom.

– Será? Veja o meu estado. E o do Connors, então?

– Pensando melhor, tenho a mais absoluta certeza de que Deus não teve a intenção de puni-los – disse frei Piero, levando a mão ao queixo.

– Como pode ter tanta certeza?

– Simples. Vocês não nos causaram nenhum mal. Não bombardearam a região, mesmo recebendo ordens. Imagino que tenham sido punidos pelo seu comando.

– Sim, fomos punidos.

– Uma pergunta: quantos militares estavam no grupo que veio até aqui nos atacar?

– Éramos seis aviadores.

– Os outros estão no mesmo estado físico de Connors? Estão machucados como você?

– Não. Aliás, dois deles estiveram aqui: os tenentes Bartmont e Ramirez.

– Então, percebe como meu raciocínio está correto? Se o que aconteceu a você e Connors fosse uma punição divina pela tentativa de bombardeio, todos do grupo estariam em estado lastimável. Ou será que Deus é injusto? Sim, porque punir dois e liberar o resto não faz sentido!

– Você tem toda a razão, irmão Piero.

Depois de um momento em silêncio, mastigando um pedaço de pão, o tenente voltou a falar:

– Irmão, se você estivesse em meu lugar, com a culpa que sinto por ter colocado Connors nessa situação, o que faria?

– Se me sentisse culpado, minha primeira providência seria me confessar. Isso aliviaria meu coração. Em segundo lugar, ofereceria a Deus um sacrifício pessoal pela cura do meu amigo.

– Penso em me confessar daqui a pouco, assim que acabar o café da manhã. Gostaria que fosse com você, irmão.

– Será uma honra!

– Essa história de sacrifício, como seria?

– Não há uma regra. Poderia ser uma oferta sua para Deus.

– Mas o quê? Dinheiro?

– Sim, poderia até ser, desde que fosse um esforço grandioso.

– Então a questão do dinheiro não tem valor no meu caso. Meu pai tem posses e moro com ele. Mesmo que eu desse tudo o que é meu, Deus sabe que não passaria necessidade.

– Bem, nesse caso a entrega de dinheiro não serve como oferenda. Você precisa pensar em algo que valha muito, segundo seu ponto de vista.

– Será que o senhor poderia me dar um exemplo, frei?

– Claro. Quando eu tinha 10 anos, adoeci de um mal desconhecido. Os médicos não deram esperanças a meus pais. Minha mãe era muito religiosa e resolveu fazer uma promessa para a Virgem Maria. Se eu sobrevivesse, ela me daria, em oferenda a Deus, aos frades capuchinhos da região, para seguir a vocação sacerdotal.

– Que absurdo! Ela não poderia prometer algo assim, frei – deixou escapar Bloom.

– Pense bem: era eu o que ela tinha de mais valioso na face da Terra.

– Sim, mas ela não poderia oferecer sua vida. Por que não ofereceu a dela mesma?

– Porque já tinha certa idade e não possuía nenhum talento específico. Achou que não era uma oferta digna.

– Mas será que ela não calculou que você poderia, mais tarde, se rebelar contra a escolha dela?

– Sem dúvida. Mesmo assim, ela escolheu arriscar.

– Qual foi o resultado? Você, em algum momento, chegou a se revoltar contra ela ou contra os frades capuchinhos? Quantos anos tinha quando ingressou na ordem?

– Vou lhe contar como as coisas aconteceram. Dois meses depois da promessa de minha mãe, eu amanheci curado. Os médicos ficaram espantados e ela anunciou para todo o vilarejo que obtivera um milagre da Virgem Maria. No ano seguinte, quando eu já tinha completado 11 anos, dois sacerdotes da ordem passaram de casa em casa procurando por vocações sacerdotais. Minha mãe, então, percebeu que era o momento de cumprir sua promessa e me apresentou como candidato.

– Que loucura! Você era apenas uma criança!

– Fui levado ao seminário menor da ordem, em uma cidade próxima do meu povoado. Foi uma experiência tão boa que me apaixonei por São Francisco de Assis e estou aqui até hoje, meu amigo! Pretendo ser capuchinho até meu último dia – disse o frade com seu habitual sorriso.

– Pode ser uma solução.

– Como assim? Qual solução?

– Oferecer minha vida em sacrifício pela recuperação de Mark.

– Calma, irmão. Essas decisões devem ser bem pensadas. Seu estado emocional está impedindo que sua mente pense com clareza. Dê mais um tempo a si mesmo. Analise bem a situação. Não vá prometer a Deus nada que não possa cumprir depois.

De repente, frei Alberto adentrou o recinto, todo afobado. Bateu palmas, exigindo silêncio dos frades no refeitório. Todos se calaram. Disse alguma coisa em italiano. Houve um alvoroço. Os religiosos começaram a se abraçar, comemorando efusivamente.

– Frei Piero, o que está acontecendo? O que frei Alberto disse?

– Disse que há poucos minutos, ao entrar na enfermaria para visitar seu amigo, o encontrou sentado na cama, conversando com padre Pio. Um milagre.

CAPÍTULO IX

Ecce Homo

— Pai, que história impressionante! Não sabia que você tinha retornado de um coma. Praticamente ressuscitou. Por que nunca me contou nada?
— Rafael, não tenho muito orgulho dessa parte da minha vida. Enquanto Bloom passou um bom tempo pensando que a culpa pela tragédia era dele, eu fiz o mesmo.
— Não compreendo.
— Eu era um militar muito bem treinado. Não poderia ter caído em uma armadilha boba como a que os marginais prepararam para nós. Na hora em que a moto do primeiro bandido se aproximou, eu deveria ter sacado a minha arma e checado todo o perímetro. Bloom não teve culpa de nada. Ele estava sob os meus cuidados.
— Acho que vocês dois se cobraram em demasia. O ataque dos bandoleiros se deu logo após a saída do convento. E a experiência que tiveram por lá foi impactante. Por isso talvez estivessem um pouco distraídos.
— Verdade. Aquilo que aconteceu no pátio do convento com padre Pio tinha mexido muito com minha cabeça. Mesmo assim, foi uma falha imperdoável.

– Pai, você se lembra do período em que ficou em coma?
– De algumas coisas, sim – respondeu enquanto eu o ajudava a se recostar no travesseiro.
– Quais coisas? Pode me dizer?
– A recordação mais marcante que tenho daquele momento horrível foi a de estar em outro lugar, em outra dimensão. Era como uma estação de trem imensa. Tinha uma coloração laranja, opaca. E havia pouca luz. Um enorme painel incandescente indicava as diversas partidas. Elas se davam através de inúmeras portas espalhadas pela área. Uma multidão aguardava sua vez para o embarque.
– Que coisa estranha. Você podia ver e ouvir essas pessoas? Caminhava no meio delas? Sentia seus pés tocarem o chão?
– Sim, Rafael. Até esbarrei em um sujeito enquanto andava por lá.
– Você não teve medo? Não achou que estava morto?
– Meu filho, como já disse antes, nunca tive medo de nada. Sempre fui um guerreiro. Mas de fato, naquele momento, pensei que tinha morrido.
– Mas, pai, do jeito que você é católico, não imaginava que iria para o céu? Uma estação de trem não é um lugar dos mais agradáveis...
– Calma, Rafael. Não se adiante tanto no tempo. Em primeiro lugar, não vi nenhum trem ali. Defini o local como uma estação de trem por ser a coisa que mais se assemelhava com o que presenciei. Em segundo lugar, naquela época eu não praticava nenhuma religião. Não fiquei preocupado se aquela estação era o céu ou o inferno.
– Não teve curiosidade de saber o que era de verdade aquele lugar?
– Concluí que era um espaço temporário. Depois de uma boa bisbilhotada, percebi que dali as pessoas partiam para o céu, purgatório ou inferno. Por isso me mantive calmo, aguardando a minha vez.
– Pai, você não perguntou a ninguém que lugar era aquele?
– Perguntei a dois homens, mas eles não souberam me informar. Estavam tão perdidos quanto eu. Logo depois, uma mulher vestida de branco me chamou pelo nome.
– O que ela queria com você, pai?

– Ela me pediu que a acompanhasse até outra parte da estação. Falou que havia sido determinada a minha volta à Terra, porque padre Pio tinha requisitado minha presença.

– Padre Pio estava lá na estação?

– Não, Rafael, ele estava sentado ao lado do meu corpo, no convento. Em suas orações, de uma forma que não sei explicar, ele pediu que aquela senhora de branco mandasse meu espírito de volta para que eu revivesse. E foi prontamente atendido.

– Inacreditável!

– Uma pena que você não o tenha conhecido, Rafael. Era um homem muito especial. Acho que não nascerá outro igual tão cedo.

– Quer dizer, então, que o sacerdote pediu que o mundo espiritual o devolvesse à Terra e foi obedecido? Nunca ouvi nada semelhante. É muito difícil acreditar.

– Não queria lhe contar os detalhes, mas você insistiu – disse Connors, com a cara amarrada.

– Pai, estou gostando de ouvir suas histórias. Só que quando você fala do padre Pio... São coisas difíceis de crer.

– Você é curioso, Rafael... Acreditou em tudo que falei sobre a estação de trem. Mas bastou o padre Pio entrar na história para impugná-la!

– Não sei explicar por que a história sobre a estação de trem faz sentido para mim. Mas pensar que, em pleno século XX, existiu um homem de carne e osso, assim como eu, com um poder tão grande que até os céus atendiam seus pedidos imediatamente, já é outra coisa.

– Tudo bem, filho, não vamos discutir por causa disso. O fato é que, depois da informação que aquela senhora me deu, uma forte luz me envolveu e não pude enxergar mais nada. Quando abri os olhos, estava na enfermaria, em San Giovanni Rotondo. Padre Pio estava sentado em uma cadeira, sorridente, me olhando.

– Você se assustou ao vê-lo ali?

– Não. Lembrei-me do que a mulher tinha dito na estação e simplesmente agradeci ao homem por ter intercedido em meu favor, dando-me uma nova chance.

Meu pai me contou que, sem tirar o sorriso do rosto, padre Pio disse:
– Rapaz, se está feliz em retornar, é bom aproveitar o momento para se confessar. Melhor começar a nova vida com o coração renovado.

Quando frei Alberto abriu a porta da enfermaria, a confissão de meu pai já havia se encerrado.

Depois do anúncio do superior no refeitório, Bloom subiu as escadas o mais rápido que conseguiu. Encontrou Connors sozinho, olhando a paisagem pela janela. Padre Pio havia se retirado, juntamente com frei Alberto.

– Meu Deus, você ressuscitou, Mark!
– Não tenho como discordar de você, meu amigo.
– Só pode mesmo ser um milagre!

Os dois se abraçaram.

Às três da tarde, por determinação de frei Alberto, todos os frades compareceram à missa em ação de graças pela vida de Mark, celebrada pelo padre Pio. Durante a elevação do cálice e da hóstia, meu pai testemunhou outro espetáculo inesquecível.

– Foi naquele momento, meu filho, que o sacerdote virou outra pessoa.
– Pai, não entendi.
– Bem ali, na minha frente, o rosto do padre Pio desapareceu para dar lugar ao de Cristo, com a coroa de espinhos na cabeça. Exatamente como fora apresentado à multidão por Pilatos, durante sua Paixão: *Ecce Homo*. Foram alguns segundos, mas consegui ver tudo com nitidez.
– Pode ter sido alguma alucinação causada pelo coma muito recente, pai.

Ele ficou enfurecido com o que eu disse:
– Claro que não! Já me viu ter alucinações alguma vez na vida? Mesmo com essa doença desgraçada, permaneço lúcido. Será que você não vê, Rafael?
– Calma, pai. O problema é que, em um primeiro momento, o homem aparece pairando nos céus. Depois, a voz dele alcança o plano

espiritual e revoga a sentença de morte que havia sido dada a você. Por fim, transforma-se em Jesus Cristo. É demais para mim!

– Foram os três momentos mais incríveis de toda a minha vida, Rafael. É uma pena que não acredite em mim. Em todos eles, Deus me deu uma grande graça: conviver com um santo de verdade. Como você nunca conheceu nenhum, não pode entender do que se trata. Por isso fica querendo encontrar teses científicas para explicar o inexplicável.

– Alguém mais testemunhou aquele momento de transformação?

– Não. Mas, quando relatei o fato a frei Piero, ele me disse que pessoas do vilarejo já tinham comentado que isso acontecia em algumas missas celebradas pelo padre Pio.

– Assim fica um pouco difícil, pai. Não dá mesmo para acreditar.

– Como já disse antes, não vou discutir com você, Rafael.

– Pai, não se ofenda. Sabe como eu sou. Por favor, continue contando sua história. Tenho um enorme interesse por ela.

Ele, então, resolveu prosseguir.

Após a missa, Bloom resolveu se confessar com o irmão Piero. Contou-lhe que tinha feito uma promessa a Deus: se Connors sobrevivesse, tomaria o hábito capuchinho para o resto da vida. O sacerdote tentou demovê-lo da ideia, mas ele não cedeu. Depois do jantar, o tenente pediu para falar com o superior do convento.

– Frei Alberto, tenho um pedido a fazer.

– Pois não, em que posso ajudá-lo?

– Quero ser frade capuchinho.

O superior ficou mudo. Encarou Bloom atentamente, sem acreditar em seus ouvidos. Sob sua administração, o convento recebera um médico, um comerciante e um advogado. Todos adotaram, tardiamente, a batina. Mas nunca soubera de nenhum jovem militar que tivesse se tornado sacerdote.

– Tenente, tem certeza do que está me dizendo? Penso que tem uma carreira brilhante pela frente. Não pode se deixar impressionar pela experiência ruim que teve em nossa região.

– O senhor não está compreendendo. Meu pedido está relacionado com minha experiência, mas não estou escolhendo seguir este rumo por impulso. Pensei muito a respeito da situação e quero entregar minha vida a Deus, para que Ele me use da forma mais eficiente possível.

– Deus pode usá-lo de modo eficiente em sua carreira na Força Aérea, tenente. Já parou para pensar a respeito?

– Sim, frei Alberto. Continuo a lhe dizer que a única carreira que desejo seguir daqui para a frente é a religiosa.

– Nesse caso, não há muito o que fazer para ajudá-lo.

– Como assim? O senhor não é o superior deste convento? Pode me acolher aqui e me ensinar a ser um bom sacerdote.

– Não posso. Não é assim que as coisas funcionam. É preciso passar alguns anos em um dos seminários de nossa ordem para depois ser ordenado sacerdote.

– Tudo bem. O senhor pode me encaminhar a um dos seminários?

– Tenente, como o senhor veio dos Estados Unidos, o seminário deve ser cursado por lá, e não aqui na Itália. Mesmo porque o senhor não fala o nosso idioma.

– Entendo. Não tem problema. Vou procurar um seminário capuchinho em minha cidade. Se não me engano, frei Giacomo, quando me atendeu em Roma, informou que havia um em alguma estrada próxima dos subúrbios de Boston.

– Espere um instante. Tenho um livro aqui com os endereços de nossos seminários pelo mundo. Vou lhe dar o de Boston.

Ao ver que o militar estava irredutível, o homem foi até um armário velho e voltou com um volume de capa preta. Assim que encontrou o que procurava, pegou um pedaço de papel e copiou o endereço para Bloom.

– Muito obrigado, frei Alberto.

– Já que ainda falta bastante tempo até seu retorno para casa, pense com muito cuidado no que vai fazer. Reze antes. Peça que o Espírito Santo ilumine sua decisão.

– Sinto que tudo está sacramentado, mas rezarei pelo meu futuro, pode ter certeza.

Na manhã seguinte, chegaram dois jipes militares ao convento. O comandante Wilson veio acompanhado por Ramirez, Bartmont e Kovaks. Assim que viram frei Piero, perguntaram sobre o estado de saúde dos dois americanos. Esperavam a pior resposta possível, mas ouviram algo diferente:

– Comandante, o capitão Connors está à sua espera.

– Acho que não entendi muito bem. Connors está vivo?!

– Sim, está aguardando os senhores.

O rosto de Wilson se iluminou. Ele abriu um sorriso e gesticulou para que seus comandados o seguissem rapidamente.

O grupo encontrou Connors e Bloom conversando animadamente na enfermaria.

– Comandante, que bom vê-lo! Muito obrigado por ter me socorrido. Soube que, se não fosse pelo senhor, não haveria medicamentos para mim – disse meu pai.

– Não há razão para me agradecer, capitão. Vocês são meus guerreiros e é minha função cuidar bem dos meus subordinados. Não fiz mais do que minha obrigação. Um dia estarão no meu lugar e talvez saibam o que significa perder um de seus comandados. É uma sensação horrível, que nunca mais sai da memória – afirmou Wilson, sério.

– Em uma de nossas conversas, eu e Bloom concluímos que o senhor é um homem de coração bom, comandante, e não nos ajudou só porque somos seus comandados. Sabemos que tem um verdadeiro afeto por todos nós.

– Assim vocês vão me deixar constrangido, capitão. Vamos mudar de assunto. Falemos de coisas práticas. Estão prontos para retornar à base?

– Sim, senhor – responderam os dois.

– Ótimo. Ainda não sabem, mas já foi determinado o regresso de todos vocês para os Estados Unidos.

– Quando voltamos, comandante?

– Daqui a cinco dias. Já providenciei todos os papéis, não precisam se preocupar com nada. Só precisam arrumar suas coisas e se apresentar ao Alto-Comando, em Roma. Para garantir que nada dê errado, eu mesmo os conduzirei.

– Uma honra para nós, coronel. Muito obrigado.

Os americanos se despediram dos frades, deixando outra doação de mantimentos. Frei Alberto os levou ao pátio para lhes dar uma bênção solene perto da cruz de madeira. Frei Piero pediu que mantivessem contato por correspondência.

– Pai, não me lembro de ter conhecido frei Piero. Quando você retornou à América, escreveu ao homem alguma vez? – perguntei.

– Claro que sim, Rafael, nos correspondíamos com frequência. Frei Piero serviu a Deus a vida inteira, na Itália. Nunca pôs os pés em nosso país. Depois que me casei, ele foi enviado ao norte, onde ficou até morrer. Era dois anos mais velho do que eu e faleceu com 68 anos, de ataque cardíaco.

– Como foi sua chegada aqui, pai?

– Já lhe contei muito a respeito disso, tenho certeza. Foi um dos momentos marcantes em minha carreira. Conhece bem a medalha que recebi das mãos do governador, no dia do meu desembarque – respondeu ele, sorridente.

– Verdade. Houve uma parada militar pela cidade, não foi? Vocês foram recepcionados como heróis, eu sei. Só perguntei para alegrá-lo um pouco.

– Quem foi que disse que estou triste, Rafael? Só estou cansado, já é tarde.

– Tem razão, pai. Posso fazer uma última pergunta por hoje?

– Que seja algo rápido.

– Aquele dia em San Giovanni Rotondo foi a última vez que viu padre Pio? Nunca mais teve notícias do homem?

– Rafael, quando me confessei com padre Pio, ele disse que, por toda a eternidade, eu seria um de seus filhos espirituais. Questionei o que isso significava. Ele respondeu que estaria atento às minhas orações e acompanharia meu caminho.

– Filho espiritual?

– Sim.

– Ele já faleceu há algum tempo, não é, pai?

– Morreu há muitos anos, em setembro de 1968. Por quê?

– Gostaria de saber se cumpriu sua promessa.

– Quer saber se ele esteve atento às minhas orações enquanto era vivo? Se acompanhou o caminho que trilhei?

– Sim.

– Sempre que podia, eu escrevia para ele, narrando tudo o que se passava comigo. Nenhuma carta minha ficou sem resposta. O mais incrível era que vinham em inglês, diretamente de San Giovanni Rotondo. Aliás, todos os filhos espirituais do padre Pio que não falavam italiano, como era o meu caso, recebiam correspondências dele nos próprios idiomas! Alguns frades que moravam com o santo costumavam dizer que era o seu anjo da guarda quem ditava as missivas.

– Pai, você guardou alguma dessas cartas?

– Guardei todas. Fazem parte do meu espólio. Tudo será deixado para você. Têm um valor incalculável. Guarde-as com devoção porque são relíquias sem preço, entendeu?

– Sim, pai. Obrigado.

Achei melhor não contestá-lo mais. Ele já estava bem cansado.

Antes de sair do quarto, lembrei que não conhecia com detalhes a história de seu casamento.

– Pai, gostaria muito que me contasse como foi que partiu para o Rio de Janeiro para pedir a mão de minha mãe.

– Meu filho, estou exausto. Não tenho mais condições de conversar por hoje. Amanhã continuarei a contar minha trajetória. Por hoje já está bom.

– Claro, pai. Durma bem.

Apaguei a luz e fechei a porta.

CAPÍTULO X

Proposta

Um dia, enquanto dava plantão em um hospital militar no Rio de Janeiro, Beth foi chamada à sala do comandante. Quando chegou lá, o superior disse que ela havia sido designada para acompanhar uma pequena delegação americana que vinha à cidade para um intercâmbio com militares brasileiros. Era necessário que houvesse alguém da área de saúde com fluência na língua inglesa.

Ela foi instruída a se apresentar ao Comando da Aeronáutica brasileira para a recepção formal do grupo de estrangeiros. Sua missão era acompanhá-los durante toda a semana, providenciando a tradução dos trabalhos realizados para o inglês. Eles já se encontravam hospedados em um hotel castrense.

Formada com outros cinco militares no pátio do prédio indicado, Beth reconheceu Connors imediatamente. Tomou um susto tão grande que ficou sem ar. Como estava de serviço, todavia, manteve a visão fixa no horizonte, evitando cruzar os olhos com os dele, buscando se recompor com rapidez. Ao lado do capitão americano estava um brigadeiro que fora comandante em diversas operações de guerra na Itália: Bloom. Lembrava-se vagamente do nome. Talvez Connors o tivesse pronunciado em alguma ocasião passageira.

Meu pai sabia que não poderia ser insolente diante do comandante nem da guarnição brasileira. Não resistiu, contudo, em pousar os olhos por mais segundos do que o adequado na moça fardada, a única mulher do grupo que se reunira naquela manhã. Para sua tristeza, não foi retribuído. Ela dava a impressão de não tê-lo notado. Isso o perturbou bastante.

Connors decidiu que precisava fazer algo ousado para que a moça deixasse de lado aquela postura gélida e o observasse. Em determinado momento, forçou o passo, fingindo que iria se dirigir ao brigadeiro Bloom e, de forma teatral, tropeçou em direção aos militares brasileiros perfilados. Então parou bem em frente à loura.

– Desculpe-me, não quis assustá-la. Foi uma pequena distração minha.

O sorriso de conquistador estava lá, armado em sua bela face.

– Não tem problema, capitão. O senhor está bem? – perguntou Beth em voz alta e firme.

Connors percebeu que precisaria se esforçar bem mais para conquistar a atenção da moça.

– Capitão, não temos tempo para amenidades por aqui. Será que podemos prosseguir? – perguntou o brigadeiro Bloom, sem gostar do ocorrido.

Connors, então, se juntou aos conterrâneos apressadamente e seguiu em direção a uma sala.

Durante a hora do rancho, os oficiais sentaram-se juntos para uma maior integração. Identificando o lugar destinado a Beth, Connors apertou o passo. Acomodou-se ao seu lado, para não ter o obstáculo da mesa de madeira entre eles. Assim, poderia falar livremente à moça sem que os demais escutassem.

– Cumpri minha promessa – disse o capitão em voz baixa e rouca, próximo ao ouvido de Beth.

– Não me cause nenhum constrangimento aqui, por favor!

Beth estava rígida como um manequim. Não queria que os demais oficiais percebessem o que estava acontecendo, pois faltava pouco para ela ser promovida.

– Fique tranquila. Não vou fazer nenhuma bobagem, mas exijo um encontro hoje à noite. Não aceito resposta negativa nem desculpas. Esforcei-me muito para estar nesta missão.

Olhou com toda a intensidade para ela, que lhe dava apenas um olhar periférico.

– Tudo bem. Vou ao seu hotel e saímos. Mas, por favor, não me olhe desse jeito e não fale nenhum tipo de besteira enquanto estivermos trabalhando. Todos vão notar. Já percebeu que sou a única mulher do grupo?

– Combinado. Às sete da noite estaremos liberados. Você sabe onde fica meu hotel?

Meu pai não estava nem um pouco preocupado com a reação dos outros militares. Havia movido montanhas para estar entre os quatro americanos indicados para o exercício de guerra no Brasil.

– Claro que sim. Moro lá perto.

Beth preferiu combinar logo o encontro a ter aquele americano atrevido, dia após dia, forçando uma situação dentro do expediente de trabalho.

Quando chegou em casa, Beth parou para pensar a respeito do que havia acontecido. Tinha sido pega de surpresa e não soubera conduzir bem a situação. Ela mesma havia pedido muito a Nossa Senhora que enviasse o jovem americano para o Rio de Janeiro o mais rápido possível. Mas agora que ele chegara, temia que todos percebessem o envolvimento entre os dois. Prezava muito seu trabalho e se dedicava bastante, não poderia jogar tudo fora.

Quando entrou debaixo do chuveiro, começou a rir sozinha. Estava impressionada: tudo o que havia pedido a Maria Santíssima se concretizara. O rapaz era realmente maluco! Cumprira o desafio dentro do prazo estipulado. Mas, precavida como era, mesmo com todas as provas de amor ao seu alcance, continuava a se questionar se o interesse dele seria tão sério assim.

Enquanto fitava a espuma de sabão que adornava seu corpo e descia pelo ralo, recordou que, lá no pequenino santuário mariano em Roma, onde estivera junto com o capitão, pedira a Nossa Senhora que lhe desse um sinal indiscutível sobre sua vida afetiva. Naquele contexto, Beth havia pensado em um desafio, impondo uma tarefa extremamente difícil ao rapaz. Ora, se ele a amava de verdade, faria qualquer sacrifício para estar com ela, não importando em que parte do mundo isso fosse acontecer! Mas, ao se deparar com o americano naquela manhã, ficara perdida. O que pensar de tudo? Mark tinha conseguido vir dos Estados Unidos sem falar uma palavra de português, arriscando sua carreira brilhante, só para vê-la. Talvez nem fosse só para isso...

Qual a razão de colocar em risco a carreira dele e a dela? Não poderia ser para uma pequena aventura. Ele já havia conseguido seu beijo em Roma. Se a questão era somar mais uma conquista, Connors já havia triunfado. Não precisava vir ao Rio de Janeiro. Sua mente questionava sem parar: "Será que ele está mesmo apaixonado?"

Com o coração acelerado, Beth desligou a água e saiu do chuveiro. Sentiu-se um pouco tonta enquanto se enxugava. Por um momento, se olhou no espelho. Será que era tão bela assim? Não tinha certeza. Por que um homem tão bonito e bem-sucedido iria se interessar por ela ao fim de uma guerra, quando poderia ter a mulher que desejasse no próprio país?

O esforço do raciocínio, misturado à forte emoção, provocou uma terrível dor de cabeça em Beth. Era melhor deixar os questionamentos de lado, pois a noite que se iniciava era crucial. Decidiu, então, mudar de foco, concentrando-se na tarefa de causar uma forte impressão. Começou a imaginar uma superprodução.

Fazia questão de estar bela como nunca. Queria tomar de vez o coração dele. Mas um detalhe importante lhe ocorreu: precisava contar aos pais o que estava acontecendo. Se o enlouquecido militar pedisse sua mão em casamento durante a estada no Rio de Janeiro, os pais enfartariam!

Para começar, o que diria a eles sobre a noite que estava para se iniciar? Falar sem rodeios que iria sair para jantar com um capitão da Força Aérea dos Estados Unidos? Sim, era a melhor solução. Não cabia omitir a situação, mesmo porque a mãe ficaria bastante desconfiada. Além do mais, sabia muito bem que o pai a apoiaria. Pronto, estava decidida: reuniria os dois logo depois de se arrumar para sair com Mark e relataria tudo o que havia se passado entre eles em Roma.

Como pressentira, a mãe ficou assustada e muito desconfiada com a história. Perguntou se não se tratava de uma aventura de verão. o pai, sorridente e bonachão, achou que Deus havia atendido suas súplicas, já que, desde pequenina, isso sempre acontecia. Deu-lhe os parabéns e disse que queria conhecer o jovem assim que possível. Nesse ponto seus pais concordaram: a mãe fazia questão de olhar nos olhos do americano para enxergar seu coração. Assim, poderia tirar uma conclusão melhor. Combinaram, então, uma visita do capitão para outro dia.

A noite transcorreu tranquila, melhor do que Beth havia previsto. Connors lhe entregou um buquê de rosas brancas, amarelas e vermelhas. Ela o levou a um restaurante no centro da cidade. Ele ficou maravilhado com tudo o que via e se encantou com a beleza da baía de Guanabara. Mark lhe pediu que, no dia seguinte, o levasse ao alto de uma das montanhas da cidade, para que tivesse uma visão panorâmica do Rio de Janeiro.

Beth disse que o levaria para visitar os principais pontos turísticos na tarde de folga que teriam no meio da semana. Pediu, porém, que reservasse a noite seguinte para conhecer seus pais, em sua casa. Ele abriu um enorme sorriso e disse que aquele era o grande propósito da visita.

Na noite seguinte, a mãe de Beth preparou um jantar tipicamente brasileiro. Estava um pouco preocupada, pois só o marido falava um pouco de inglês. Ela teria que se virar com sorrisos, confiando nas traduções da filha, pois soubera que o capitão não falava nada de português. Era a primeira vez que passaria por uma situação como aquela.

O pai de Beth, por sua vez, estava alegre. Sabia que o rapaz vinha de longe com alguma intenção grandiosa. Nenhum homem, em plena saúde mental, viajaria tantos quilômetros atrás de uma mulher se não estivesse completamente apaixonado por ela. Sentia-se honrado porque o rapaz fizera questão de vir até sua casa, mesmo sendo um oficial da Força Aérea dos Estados Unidos, com um futuro brilhante pela frente, como Beth lhe dissera.

Connors chegou na hora marcada, em farda de gala, com chocolates e uma garrafa de vinho. Cumprimentou, sorridente, a todos. Beth percebeu um leve tremor em suas mãos. De qualquer forma, estava fazendo um bom papel, já que os pais não perceberam como estava nervoso com a missão que tinha a cumprir. Depois do jantar, foi convidado pelo pai de Beth a se sentar em um dos sofás da sala.

Connors ficou surpreso com o domínio que o pai de Beth tinha da língua inglesa: bom vocabulário, compreensão perfeita de tudo o que ele dizia. A diferença para a filha estava no forte sotaque, o toque latino bem acentuado. O ritmo, entretanto, era diferente do que havia escutado nos Estados Unidos, provindo dos hispânicos. Mas isso não abalou a animada conversa, que durou algumas horas.

Após o jantar, Connors exibiu uma pequena caixa negra. Solenemente, anunciou aos pais de Beth que estava ali para pedi-la em casamento. Não gostaria de partir para os Estados Unidos com uma resposta negativa. Quando abriu a tampa, exibiu uma aliança da cor dos cabelos da moça. Seguiu-se uma declaração de amor açucarada, com a súplica para uma resposta imediata.

Beth olhou para os pais. Sua mãe lhe perguntou se aquilo era um pedido de casamento. Ela confirmou. Antes mesmo de se pronunciar, o pai se levantou da poltrona e abraçou o americano. Disse que estava muito satisfeito com a forma como o militar havia conduzido tudo e que era um grande prazer tê-lo como integrante de sua família.

Beth segurou a mão de Connors e disse o sim tão esperado. Exigiu, entretanto, que a cerimônia religiosa se realizasse no Rio de Janeiro. Ele respondeu que bastava ela escolher a igreja. Para ele e sua família estava tudo certo. Connors já havia comentado com os pais que se casaria no Brasil, com uma militar que conhecera em Roma.

O casamento aconteceu no Centro, na Igreja da Santa Cruz dos Militares. Foi uma belíssima cerimônia. A família inteira de Connors compareceu. Para a satisfação do capitão, seu grande amigo Bloom, trajando hábito franciscano, acompanhou a cerimônia do altar, concelebrando-a. Na época, era seminarista em Boston, mas tinha obtido uma permissão especial para vir ao Brasil.

Os recém-casados passaram duas semanas no Nordeste, em lua de mel. Depois, seguiram para Boston, onde fixaram residência. Ela pediu exoneração das Forças Armadas do Brasil, e passou a trabalhar como enfermeira em um hospital de grande porte, na cidade que adotaram para viver. Beth se integrou completamente à cultura americana e foi recebida como uma filha pelos pais dele. Fez diversas amizades e frequentava diariamente a paróquia perto de casa.

Os sacerdotes a adoravam. Participante da pastoral dos excluídos, cuidava dos pobres do local. Fazia muita caridade e conduzia um grupo de oração centrado na devoção do rosário. As reuniões eram em sua casa.

Connors atribuía o sucesso em sua vida afetiva a duas pessoas: Maria Santíssima e padre Pio. Tinha absoluta certeza de que fora adotado por ambos como filho. Nos Encontros de Casais com Cristo que coordenava em Boston todos os anos, comentava com os mais jovens que a esposa havia sido um presente de Nossa Senhora. Relatava-lhes, com orgulho, a tarde que tivera no Santuário de Maria Santíssima Causa Nostrae Laetitiae, em Roma. Gostava de contar que, ao chegar lá, havia pedido um casamento perfeito com Beth e, graças às mãos delicadas da Mãe Santíssima, tinha sido atendido.

Recordo que nosso lar era muito tranquilo. Um ambiente de amor, um recanto diferenciado. Durante sua doença, perguntei a meu pai por que estar com ele e minha mãe naquela casa causava uma sensação tão serena e agradável. Sua resposta foi a seguinte: "Rafael, qualquer pessoa que pise aqui ainda hoje, mesmo sem minha amada Beth, sentirá as presenças do padre Pio e de Nossa Senhora. Por isso essa paz."

Minha mãe teve muita dificuldade para engravidar. Uma criança era o maior desejo de sua família, já que ela era filha única. Na família do meu pai, a mesma coisa. Os anos se passavam, as tentativas se multiplicavam, mas o resultado era desanimador. Vários exames foram feitos para avaliar a fertilidade dos dois e nada de errado apareceu.

Um sacerdote, confessor de Beth, sugeriu que o problema era a ansiedade do casal, um fator muito difícil de ser controlado. Além da pressão familiar, as constantes missões perigosas de Mark deixavam minha mãe com os nervos à flor da pele. Mas no vocabulário dos dois não havia a palavra "desistência".

Uma amiga americana de Beth viajou para a Terra Santa e visitou a gruta onde Nossa Senhora amamentou o Menino Jesus. Ouvira dizer que o pó da rocha daquele local era milagroso. Decidiu trazê-lo para minha mãe, assim como uma novena que indicava como proceder para ganhar uma bênção.

O panfletinho avisava que a mulher deveria ingerir um pouco do pó da gruta, juntamente com o marido, e depois rezar sete Ave-Marias pelo seu pedido. A amiga informou que ela deveria seguir aquela recomendação por nove dias. Beth ficou irritada; não acreditava em simpatias e coisas do gênero. Para ela, ou a pessoa tinha fé em Deus e confiava na intercessão de Nossa Senhora, sendo verdadeiramente amiga do Pai Celestial, ou seguia um caminho obscuro na vida.

Segundo minha mãe, devoções de última hora, conforme o gosto do freguês, vendendo ideias de facilidade para alcançar graças, eram uma grande fraude, um abuso. Se a pessoa era íntima de Deus, sabia que não era assim que se obtinham favores do Todo-Poderoso. O Criador gostava de ver a devoção de seus filhos com orações diárias e a participação na Santa Missa.

Sim, mamãe participava da missa todos os dias, bem cedo, comungando. Ela não precisava de fórmulas comerciais e supersticiosas para alcançar graças. Todas as manhãs pedia o dom da maternidade ao Senhor, logo após a comunhão. Em silêncio, no primeiro banco da igreja, rezava para Nossa Senhora, invocando sua poderosa intercessão, suplicando a concepção.

Gentilmente, minha mãe recusou o tal pó da gruta e devolveu o panfleto com a crendice para a amiga. Não teceu maiores comentários, apenas disse que não precisava de aparatos para engravidar. A fé dela era mais do que suficiente. Se Deus quisesse, poderia lhe dar o filho tão sonhado. Se não fosse da vontade dele, ela acataria sua decisão, acreditando que era o melhor para o casal.

Contou para a amiga a história de Sara, esposa de Abraão, que concebera em idade avançada. Para que a moça entendesse bem, Beth pegou a Bíblia e abriu no capítulo 21 do Gênesis: "Javé visitou Sara, como havia anunciado, e cumpriu sua promessa. No tempo que Deus tinha marcado, Sara concebeu e deu à luz um filho para Abraão, que já era velho. Abraão deu o nome de Isaac ao filho que lhe nasceu, gerado por Sara." Com ela não seria diferente, já que Deus era extremamente fiel aos seus.

A paróquia de Beth, em Boston, celebrava anualmente um dia de orações pelas mulheres grávidas. Era uma grande festa, com direito a missa, seguida de um curso de seis horas para as futuras mães. Terminava com um grande jantar de confraternização entre os paroquianos. Mesmo sem pertencer ao seleto grupo, mamãe comparecia sempre ao evento, sentando-se na primeira da fila da igreja, fazendo questão de receber a bênção especial.

Os padres sabiam do seu desejo e não se incomodavam que ela participasse daquela festividade. Muito pelo contrário: rezavam diante da imagem grávida de Nossa Senhora do Parto para que o desejo do casal Connors fosse atendido com a máxima urgência. Enquanto isso não acontecia, no meio das "barrigudinhas" ela era a única esbelta.

Uma coisa era certa: o casal era bastante persistente e tinha a plena convicção de que, em breve, atingiria seu objetivo. Os anos teimavam em passar, contrariando as expectativas. Diante do revés, sem desistir, marido e mulher pediam todos os dias que Nossa Senhora os auxiliasse e lhes desse logo a graça de um filho. Depois de quinze anos de matrimônio, em uma tarde chuvosa, veio enfim o diagnóstico tão esperado.

A notícia atravessou o território americano para chegar rapidamente ao país de Beth. Todos os familiares e amigos queriam vê-la grávida. Após três meses, meus pais aproveitaram as férias e embarcaram para o Brasil. Ela queria mostrar a barriguinha. A felicidade era plena.

Tudo seguia dentro dos conformes quando, em um dia de tempestade com ventos poderosos e nuvens que pareciam quase tocar o chão, na casa de seus pais, minha mãe começou a sentir dores abdominais horríveis e terminou internada em um hospital particular na zona sul da cidade do Rio de Janeiro. Seu retorno a Boston estava indefinidamente adiado.

Bastante abalado com o acontecimento sombrio, Connors obteve uma licença da Força Aérea para permanecer em terras brasileiras com a esposa até que a situação fosse resolvida. A tensão era evidente em seu rosto. Com certo desespero, rezava muito mais do que de costume. A situação, no entanto, parecia não evoluir bem. Beth se encontrava em estado grave, correndo risco de vida. No mínimo poderia perder a criança a qualquer momento.

Em agosto de 1963, por volta da hora do almoço, meu pai voltou ao hospital para saber os resultados de uma série de exames de minha mãe. Quando chegou ao quarto, encontrou a esposa inconsciente, recebendo soro e medicamentos intravenosos. Uma enfermeira cuidava dela. Poucos minutos depois, o médico responsável adentrou o quarto e lhe informou que o estado da paciente era delicado. A causa era um enorme tumor no intestino.

Parecia que o prédio inteiro desabara sobre a cabeça de Connors. Seu coração, em cavalgadas desconexas, impedia que o fluxo sanguíneo irrigasse corretamente o cérebro. Tudo girava ao redor e seus ouvidos se tornaram praticamente surdos às vozes que tentavam se comunicar com ele. Teve vontade de quebrar tudo e socar todos os homens de branco que lá estavam.

Com um esforço monástico, dominou as emoções. Repetia para si mesmo que era um militar treinado para situações limítrofes. Sabia se portar diante do inesperado. Sentou-se na poltrona no canto esquerdo do quarto. Colocou as mãos na cabeça e inclinou o corpo para a frente. Permaneceu nessa posição enquanto falava mentalmente com Deus, em grande sofrimento:

"Senhor, que brincadeira é essa? Depois de tanta luta! Todo mundo sabe o que passamos até o anúncio da gravidez. Não é correto nos tirar tudo agora. Por favor, reconsidere sua sentença. Levante a mão pesada e nos liberte deste veredicto horroroso. Não é justo. Dizem que o Senhor nunca faz um milagre pela metade! Sabe que já temos idade... Provavelmente essa é a nossa última chance."

Como seu português ainda não era muito bom e o momento de crise pressionava seu raciocínio, não compreendeu metade do que lhe fora dito pelo médico. De qualquer modo, sabia muito bem que havia um sério risco para a futura mãe e para o bebê. Possivelmente um dos dois não deixaria aquele hospital com vida. Havia, ainda, grande probabilidade de nenhum dos dois voltar para casa. Seria a pior hipótese possível e a maior desgraça da vida de Connors.

As dores de Beth eram incessantes. A equipe médica anunciou que só uma cirurgia poderia dar resultado. O problema é que ela perderia a criança, mas, pelo menos, sobreviveria ao episódio. Minha mãe estava desolada, mas continha as lágrimas, mostrando-se bastante forte. Meu pai chorava bastante quando estava sozinho, mas os olhos ganharam um inegável e permanente avermelhado e não permitiam que sua dor se escondesse.

Uma noite, a sós no quarto do hospital, Beth contou a Mark que gostaria, acima de tudo, que a criança nascesse com saúde. Ainda que isso significasse a própria morte. Assim, poderia partir em paz em direção à morada celeste, satisfeita por ter cumprido integralmente sua missão na Terra. Ele a ouvia calado, mas não compartilhava do seu desejo, pois pensava em manter a esposa viva a todo custo.

– Mark, você não vai me responder?

– O que você quer que eu diga? Estou pensando aqui sobre tudo. Não compreendo, meu amor. Mesmo que o bebê falecesse, poderíamos tentar outro. Mas, sem você, ser pai não teria sentido para mim – falou, mas sua retórica não era muito convincente.

– Não diga uma coisa dessas. Há uma vida muito importante aqui dentro. Ela é tudo para mim. Nada que os médicos digam vai me fazer mudar de ideia. – A voz dela estava fraca, mas sua vontade era inquebrantável.

– Acho que você não está em condições de discutir comigo sobre seu destino. Há muita medicação em suas veias. Isso atrapalha seu raciocínio – replicou meu pai, fitando o chão.

– Mark, meu raciocínio sempre foi muito claro. A medicação não está me poupando das dores que sinto. Imagino que o bebê esteja sofrendo muito dentro de mim.

Mesmo com toda a fraqueza, minha mãe procurava os olhos do marido.

– Por que não deixamos a equipe médica decidir se você deve fazer a cirurgia ou não? – perguntou Connors, mesmo sabendo que a chance de os médicos recuarem era mínima.

– Quer saber? Pegue, por favor, minha Bíblia. Está em cima daquela poltrona.

– Aqui está, meu amor.

Meu pai entregou o pesado livro. Com esforço, ela conseguiu abri-lo.

– Evangelho de São Marcos, capítulo 8: "Se alguém quer me seguir, renuncie a si mesmo, tome a sua cruz e me siga. Pois quem quiser salvar a sua vida, vai perdê-la; mas quem perde a sua vida por causa da Boa-Nova, vai salvá-la."

Ela ergueu os olhos e sorriu para o marido.

– Beth, a Palavra de Deus que você leu não se refere à sua situação. Apenas afirma que as pessoas devem disponibilizar suas vidas para pôr em prática o Evangelho de Cristo. Seu caso é bem diferente. – Connors estava aborrecido com a persistência de Beth.

– Claro que não! Veja: quero dar a minha vida para que uma nova venha ao mundo. Para que o mundo seja renovado por uma criança que, com toda a certeza, trará muitos benefícios aos homens, bem mais do que eu trouxe.

Meu pai ficou bastante aflito.

– Meu amor, sinceramente, não acho que seja a mesma coisa. Você está confundindo um pouco o que Jesus disse aí.

Mark se levantou e segurou a mão da esposa, ficando ao seu lado no leito.

– Querido, não há nenhuma confusão. Minha ideia é bem cristã: dar a vida pelo próximo. No meu caso, dar minha vida pelo meu bebê. Estou preparadíssima para meu sacrifício. Vou dizer isso à equipe médica.

Beth fechou os olhos e encerrou a conversa. A decisão era irrevogável. Connors sabia disso e não havia muito a fazer, exceto rezar para um desfecho milagroso.

Meu pai se conformou em não se impor sobre o ímpeto de Beth. Lúcida como estava, ela comunicou aos médicos seu intento com toda a calma do mundo. Meu pai teve que assentir, calado. Eles decidiram que iriam acompanhar a evolução do tumor, tomando todos os cuidados para que a vida do feto não fosse atingida.

Após uma noite sem dormir, meu pai decidiu ir até uma igreja próxima ao hospital para rezar um pouco. Levou consigo a Bíblia. Sentou-se em um dos bancos, fechou os olhos e lembrou que era um dos filhos espirituais do padre Pio. Ele não o iria desamparar, pois assim o prometera anos antes.

Mentalmente, Connors orou: "Padre Pio, outra vez estou em uma situação gravíssima. Não terei tempo de lhe escrever contando tudo, por isso estou confiando em nossa ligação espiritual. Como o senhor já havia me instruído antes, através de nossas correspondências, estou lhe enviando meu anjo da guarda agora para que ele se comunique com o seu, informando o que estou passando aqui."

Mark ficou alguns minutos em silêncio diante de uma imagem de Nossa Senhora do Parto. Não conseguia dizer nada, pois estava muito nervoso e triste. De repente, teve uma intuição inusitada. Algo dizia em seu coração que deveria abrir a Bíblia ao acaso. Lá estaria alguma espécie de solução para seu problema.

Sem prestar muita atenção aos dedos, abriu no Antigo Testamento: Livro de Tobias.

– Pai, nessa época, você já era tão religioso assim? – perguntei.

– Rafael, logo depois que ressuscitei, saindo daquele coma em San Giovanni Rotondo, eu me tornei bastante religioso. Coloque-se no meu lugar: como não ser? Tinha a certeza de que existia um mundo espiritual, pois estivera lá. Sabia que, um dia, seria julgado pelos meus atos e que zarparia daquela estação de trem para algum lugar bom ou ruim.

– Faz sentido.

– Passados quinze anos, minha vida religiosa e minha fé já estavam consolidadas, entende?

– Verdade, pai. Quer dizer, então, que abriu aleatoriamente a Bíblia no Livro de Tobias e lá encontrou uma resposta para seu sofrimento?

– Pegue minha Bíblia, por favor. Ali em cima da mesa. Traga até aqui. Vou lhe mostrar a passagem exata em que meus olhos pousaram.

Mark folheou o livro até achar o texto:

– "No mesmo instante, o Deus da glória escutou a oração dos dois, e mandou Rafael para curá-los: tirar as manchas dos olhos de Tobit, a fim de que ele pudesse ver a luz de Deus; e fazer com que Sara, filha de Ragüel, se casasse com Tobias, filho de Tobit, livrando-a de Asmodeu, o pior dos demônios. De fato, Tobias tinha mais direito de casar-se com ela do que todos os outros pretendentes."

– Pai, não entendo como isso poderia se referir a Beth e a mim. Parece ser a história de um casal que passava por dificuldades e foi socorrido por um tal de Rafael.

– Você está certo, a história é essa mesmo. E o tal de Rafael era um arcanjo enviado por Deus.

– Não vá me dizer que Deus lhe enviou o arcanjo Rafael e ele curou minha mãe. É demais...

– Honestamente, não sei. Mas tenho certeza de que padre Pio ouviu o meu pedido de ajuda. Aquela intuição que tive veio dele.

– Por favor, pai! Você não tem como me afirmar isso. Ele disse alguma coisa a esse respeito?

– Ele mandou uma carta, que chegou um mês depois do dia em que estive na igreja. Nela, me parabenizava pelo nascimento de meu filho e recomendava que eu acendesse uma vela de sete dias em agradecimento pela ação do arcanjo Rafael.

– Não acredito!

– Basta ler a carta que o santo me mandou. Está no acervo que estou lhe deixando. Consulte a data e veja por si mesmo!

Fiquei calado. Iria checar aquela informação depois. Agora era mais importante que ele me contasse toda a história.

Quando meu pai chegou ao hospital naquela tarde nublada, encontrou minha mãe sentada na cama, algo que não via fazia muito tempo. Perguntou-lhe o que estava acontecendo. Ela disse que estava se sentindo bem melhor. Havia alguma coisa no corpo dela que ainda a incomodava, mas as fortes dores tinham cessado por completo.

Meu pai se encheu de esperança e decidiu fazer um grande intensivo de oração. Depois de rezar o rosário de noite, resolveu "fechar um acordo" com Deus: "Senhor, gostaria de lhe fazer um pedido especial, o mais importante da minha vida! Dá-me a graça de pelo menos ver a criança passar a infância perto da mãe. Não a leve antes disso."

Na semana marcada para a cirurgia, submeteram Beth a mais alguns exames. Os resultados foram inacreditáveis. A equipe médica ficou completamente perdida. Ninguém sabia o que estava se passando. Apesar disso, a palavra "milagre" jamais era pronunciada, pois, no meio científico, soaria como superstição. De qualquer forma, a operação foi descartada.

No domingo seguinte, minha mãe recebeu alta. Não sentia mais nada. Ao sair, em vez de seguir para a casa de meus avós, pediu ao marido que a levasse diante da imagem onde ele havia feito o pedido de cura. Quando se deparou com a Virgem grávida, ela disse em voz alta:

– Querida Senhora, gostaria muito de estar com esta criança no colo o mais rápido possível.

Na saída da igreja, meu pai tomou coragem e contou para minha mãe a história de padre Pio e da intuição sobre o arcanjo Rafael. Ela sorriu e disse:

– Se foi assim, já temos um nome, caso seja um menino.

Connors concordou na hora.

Eu nasci no Rio de Janeiro na última semana do mês de agosto, no ano de 1963, e ganhei o nome do arcanjo. Meus pais retornaram para sua vida em Boston. Um mês antes de completar 7 anos, minha mãe foi internada em estado grave no mesmo hospital em que trabalhava, em nossa cidade. O diagnóstico era terrível: outro tumor, dessa vez no pâncreas. Os médicos chamaram meu pai para informar que não havia jeito.

Quando tomei conhecimento do que se passava com minha mãe, fiquei em estado de choque. Mudei de comportamento radicalmente. Beth notou como o menino alegre havia se tornado calado. Fazia de tudo para me ver feliz. Mesmo passando por dores terríveis, mantinha um sorriso nos lábios quando me via. Tentava conversar sobre os mais diversos assuntos. Jamais falava de morte. Meu pai fazia o mesmo.

Connors me incentivava a rezar pela saúde de minha mãe, dizendo que o Espírito Santo podia curá-la. Como eu não via melhora em seu estado, me questionava: "Se Deus é tão bondoso como está escrito na Bíblia, como poderia levar tão cedo minha mãe?" Eu só pensava em crescer e me tornar um médico capaz de curar aquele tipo de mal. Queria que a doença de minha mãe esperasse pela minha formatura. E, então, eu resolveria toda a situação!

CAPÍTULO XI

Pedido

No dia da morte de minha mãe, eu estava no hospital ao lado dela e de meu pai. Ela me falou que, como havia servido à Virgem Maria durante muitos anos, a própria Rainha a viria buscar, juntamente com seus anjos. Duvidando, calado, eu sorria e apertava sua mão. Então ela se voltou para mim e disse:

– Só queria pedir uma coisa, meu filho.

– Claro, mãe. Mas não vá embora para o céu agora. Quero ficar com você para sempre!

Lembro-me das lágrimas que escorriam, pingando no meu tênis branco.

– Meu filho, quero muito que você sirva à Nossa Senhora do seu jeito próprio, aproveitando-se de seus talentos, como eu e seu pai sempre fizemos.

Então, Beth fechou os olhos para não mais abri-los.

O rosto de minha mãe estava sereno, com um pequeno sorriso impresso em seus lábios róseos. Parecia estar em sono profundo, sonhando algo maravilhoso. A partir daquele dia, passamos a ser somente eu e Connors em casa.

Apesar da tenra idade, logo me tornei uma pessoa cética. Uma semente de revolta brotou no meu coração: detestava ouvir falar em Deus. Meu pai, ao contrário, se tornara ainda mais religioso.

– Meu filho, sente-se aqui comigo, quero lhe falar de algumas coisas que estão martelando minha cabeça – disse Connors, uma semana depois do enterro. Quando você ainda estava na barriga da sua mãe, fiz um pedido muito importante a Deus. A gravidez foi uma grande alegria para toda a nossa família. Para mim, especialmente, foi uma das maiores que já senti. Ter você como filho significava receber um grande presente de Deus, de Nossa Senhora, do arcanjo Rafael e do padre Pio.

Ele fez uma breve pausa, bebendo um pouco de suco. Meu copo continuava intacto sobre a mesa.

– Sei que você está infeliz com a tragédia que estamos enfrentando. Mas Deus sabe o que faz. Nós não entendemos o porquê da morte de sua mãe, mas Ele teve suas razões em levá-la. Não podemos nos abater...

A tristeza estava marcada no rosto de Connors. Eu não disse uma palavra. Preferi observá-lo, quieto.

Permanecemos um breve instante em silêncio, nos olhando. Abruptamente, ele falou:

– Eu errei ao pedir a Deus pela vida de sua mãe daquela forma.

Ele se levantou e foi olhar o jardim pela janela da cozinha. Eu estava impressionado com o que ouvira. Não compreendia o significado daquilo.

– Pai, pensei que você acreditasse em Deus.

Por um momento pensei que Connors havia perdido sua fé com a morte de Beth.

– Rafael, já lhe contei a história do rei enfermo que recebeu o profeta Isaías?

– Não, pai. Não me lembro de ter ouvido.

– O rei Ezequias, em um tempo muito antigo, estava doente e recebeu a visita do grande profeta Isaías, que lhe disse as seguintes palavras, usando seu dom: "Ponha em ordem a sua casa porque você vai morrer, não vai escapar."

– O profeta era um homem mau? – perguntei, desconfiado.

– Claro que não, meu filho! Era um grande profeta. Um homem de Deus. Por quê?

– Não sei. Ele chega à casa do rei e diz que ele vai morrer. Para mim parece coisa de um homem cruel.

– Veja, Rafael, o profeta diz aquilo que Deus manda dizer. Era um aviso dos céus para que o rei se preparasse para sua morte. Isso é uma coisa boa, pois, no tempo que lhe restava, poderia fazer o bem a outras pessoas, tentando ir para um lugar bom depois que deixasse a vida.

A explicação de meu pai não me convenceu, mas fiquei calado. Ele prosseguiu:

– O rei, como você deve estar imaginando, ficou abalado ao receber a predição, mas teve uma atitude inteligente. Se Deus mandava um profeta para lhe dar aquela notícia, era porque o observava. Então diz a Bíblia que o rei, deitado em sua cama, virou o rosto para a parede e fez uma oração.

– Ele não acreditou na mensagem do profeta? – perguntei, já que eu não teria acreditado.

– Acreditou, sim. Justamente por isso ele resolveu buscar no próprio Deus uma solução para a doença.

– Como assim? Mesmo depois do que ouviu? Seria possível fazer Deus mudar de ideia?

– Sim, meu filho, Ezequias rezou: "Ah! Javé! Não te esqueças: eu procurei sempre andar na tua presença com toda a fidelidade e de coração limpo, e procurei sempre fazer o que era bom aos teus olhos." Quando encerrou a oração, o rei chorou.

– Ele chorou para que Deus o curasse, pai?

– Não sei, talvez fosse a emoção. Ele deve ter lembrado que Deus pode tudo, até mesmo mudar o destino de um homem. Aquele rei não era um homem incrédulo. Da mesma forma que eu, tinha fé.

Claro que cometera seus erros, mas nunca abandonara a Deus. Por isso teve intimidade suficiente para fazer aquela oração.

– Uma pessoa que não acredita em Deus pode fazer uma oração pedindo cura, pai?

– Claro que pode, filho. Mas acredito que não terá o mesmo efeito de uma oração feita por um homem que sempre esteve ao seu lado. Os pedidos daquele que tem intimidade com Deus sobem com muito mais força aos céus, entende?

– Não sei se Deus ouve alguém que está na Terra... Mas é mais fácil pedir alguma coisa para alguém que você já conhece do que para um desconhecido.

Quando ele ouviu essa lógica infantil, começou a rir.

– Acho que estamos nos entendendo bem, garoto! Enquanto o rei chorava em seu quarto, Deus resolveu falar a Isaías novamente. Mandou que o profeta lhe dissesse: "Ouvi a sua oração, e vi as suas lágrimas. Eu vou aumentar em quinze anos a duração de sua vida."

– Pai, Deus aceitou o choro do rei?

Eu estava impressionado. Como era possível? Se eu pedisse algo a meu pai que ele me negasse, e emendasse num choro, ele nunca aceitaria meu argumento.

– Viu só, meu filho, Deus vê tudo! Até mesmo o choro de um homem solitário em seu quarto. E Deus é bom, Rafael. Ele leva tudo em conta, percebeu?

Preferi ficar calado. Depois do que tinha acontecido com minha mãe, não sabia se Deus era bom. Provavelmente não me considerava seu amigo. Chorei muito pela minha mãe, mas não obtivera resultado.

– Mas não é isso que eu queria lhe dizer.

– Vai me contar outra história, pai? – questionei, incomodado com aquela conversa.

– Não. Quero lhe falar sobre a lição que aprendi, e tem relação com a história que acabei de contar – respondeu, com os olhos marejados. – Quando recebi a notícia do tumor de sua mãe, pedi a Deus que a deixasse mais um pouco na Terra, para que sua infância fosse feliz. Foi um erro! – exclamou, esmurrando a mesa.

– Não entendi, pai. Ela foi curada, não foi?

– Ficou curada por poucos anos. Depois...

– Não fique assim, pai.

– Na minha ignorância, limitei a ação de Deus. Eu lhe pedi só um pouco mais de tempo, para que você conhecesse sua mãe.

Em silêncio, eu o observava.

– Deveria ter pedido a Deus que fizesse um milagre bem grande, filho. Que Ele a deixasse viver comigo até meu último dia aqui na Terra. Fui burro! Fui um intercessor idiota! – Meu pai quase arrancava os cabelos.

– Não acho você burro, pai. Mas o que é um intercessor?

– Meu filho, intercessor é quem pede a Deus por outras pessoas, para que Ele solucione os problemas delas. Formulei mal o meu pedido ao Todo-Poderoso. Estou muito arrependido, até hoje.

Aquele discurso não produziu bons frutos em mim. No fundo Deus poderia ter interpretado o pleito de meu pai da melhor forma possível. Aliás, como minha mãe era uma grande serva de Maria Santíssima, o Criador poderia ter ampliado seu tempo de vida sem nenhum tipo de requerimento. Mas Ele não quisera, pois não se importava muito se eu e meu pai ficaríamos infelizes com a morte de Beth.

Depois daquele episódio, minha mente passou a associar a religião à morte. Para mim, rezar era uma tentativa infrutífera de escapar do inevitável. Perda de tempo, pois Deus decidia previamente quanto tempo uma pessoa viveria. A oração era um ato de desespero. Durante minha adolescência, tornei-me ainda mais descrente. Eu concordava com John Lennon e sua música, *God*: Deus era um conceito através do qual as pessoas mediam sua dor.

Melhor seria confiar na tecnologia e no avanço da medicina. Isso, sim, um dia resolveria todos os problemas do corpo humano. Essa era a única forma de enfrentar as determinações de Deus! Por pena de Connors, nunca verbalizei nada disso. Sabia que iria lhe causar imensa dor sem necessidade.

Ingressei na faculdade de medicina aos 18 anos. Não foi nada fácil. Precisava estudar muito. Contudo, sentia-me grato por estagiar em um grande hospital. Adorava visitar os pacientes com os professores. Estudar os casos que se apresentavam. Acabei me interessando avidamente pelo cérebro humano. Não queria mais ser oncologista, mas neurologista.

Foi nessa área que fiz a minha residência e, depois, o mestrado e o doutorado. Acabei clinicando na terra natal de minha mãe, o Rio de Janeiro. Depois de um tempo, não quis mais retornar aos Estados Unidos, decidi viver no Brasil, já que tinha dupla cidadania. Meu pai não quis me acompanhar, preferiu ficar em Boston, mesmo depois de transferido para a reserva da Força Aérea.

Numa terça-feira, poucos dias antes de sua morte, percebi que Connors estava muito fraco. Não queria comer nada nem aceitava qualquer tipo de líquido.

– Pai, você precisa tomar alguma coisa. Pelo menos este suco, por favor – disse, tentando lhe empurrar o copo.

– Não, Rafael. Não me perturbe com coisas inúteis. Meu fim está próximo. Está tudo bem. É melhor me deixar quieto para que eu faça minhas orações.

– Não vamos falar de morte, pai. Além do mais, é minha função cuidar da sua saúde e você está muito frágil.

– Somos todos muito frágeis. Só Deus é forte. Quando deixamos o Espírito Santo agir através de nós, então ostentamos uma fortaleza exuberante.

– Não vai querer justificar sua recusa com frases religiosas, não é? Seria um absurdo.

– Pare de querer me empurrar comida, garoto. Vamos falar de coisas mais sérias.

Fiquei preocupado. Já estávamos há dias falando de coisas sérias. O que mais ele guardava para mim?

– Olhe aqui, Rafael.

Ele estendeu um pedaço de papel com uma lista.

Passei os olhos pelos nomes. Reconheci apenas dois em um grupo de quinze. Calado, parei para pensar no que aquilo significava. Qual o objetivo do brigadeiro? Nunca fazia nada sem um propósito. Mais uma vez eu não havia percebido os planos arquitetados pela mente daquele homem. O corpo estava se decompondo, mas a mente continuava muito afiada.

– Não sei se devo perguntar, mas aí vai: para que serve esta lista? Quem são estas pessoas?

– Achei que não escutaria nada saindo da sua boca. Cheguei a pensar que você tinha esquecido seu inglês. Passou muito tempo no Brasil, meu filho!

Seu bom humor voltara, apesar da dificuldade para respirar.

– São amigos de fé. Pessoas de muita oração. O cardeal Bloom você já conhece. Frei James também.

– Os demais também são frades e freiras?

Meu pai começou a rir.

– Pensa que todos os que têm fé só podem ser frades ou freiras, rapaz?

– Não, pai, você me entendeu mal. Como reconheci os nomes do cardeal Bloom e do frei James, pensei que a lista era composta por religiosos. Não significa que eu pense que toda pessoa religiosa seja sacerdote ou freira, ora!

– Você precisa dominar um pouco seu temperamento. Como anda chateado, nem percebeu que estou brincando com você.

Ele deu um leve tapa em minha mão.

– Desculpe, não estou bem.

Afaguei seus cabelos brancos.

– Gostaria que, após a minha morte, você perguntasse a cada uma dessas pessoas quem é Deus.

Fiquei mudo, encarando-o. Que coisa mais desnecessária! Quem poderia definir Deus com exatidão? Lembrei que, quando estudava filosofia, na faculdade de medicina, lera que Santo Agostinho acreditava ser impossível compreender a Deus com a inteligência humana. E que éramos muito pequenos diante de tudo o que o Criador significava. Apesar de não gostar de religião, a lição do santo fazia sentido.

– Acho que isso é ridículo, com todo o respeito – falei de forma mansa, para não chateá-lo.

– Pensar não é ridículo – respondeu ele, mas sem se ofender.

– Pai, quem pensa não fica buscando o significado de Deus. Além de inútil para a vida prática, é algo amplo demais.

– Talvez eu tenha me expressado mal, Rafael.

– Então o que quis dizer?

– Quero que essas pessoas transmitam a você suas experiências com Deus. O significado de Deus na vida delas. A pergunta foi esclarecida, doutor?

– Sim, senhor brigadeiro – respondi, sem gostar muito da ironia.

– Então?

– Pai, seja mais direto! Então o quê?

– Ora, Rafael, você vai procurar as pessoas da lista? Sim ou não?

Ele tentou se ajeitar sobre o travesseiro de modo que seus olhos encarassem o fundo dos meus.

– Pai, não vejo motivo para isso. Sinto muito, mas não gostaria de importunar essas pessoas com uma questão que, para mim, não tem sentido.

– Vai recusar o pedido de um velho moribundo?

Ele começou a apelar para a chantagem emocional, coisa que eu detestava.

– Vamos tentar negociar.

Ele abriu um sorriso. Percebi que havia caído na armadilha de Connors. Provavelmente a lista era um blefe.

– Ótimo, vamos negociar. Vai falar com quantos?

– Só aceito falar com frei James e com o cardeal Bloom. São pessoas em quem confio plenamente, que conheço desde que nasci. Com os demais, nem pensar!

– Negócio fechado! Quero que comece a fazer as perguntas logo depois do meu enterro.

No fim ele tinha conseguido o que planejara. Conhecia bem o filho, sabia que eu escolheria aqueles dois.

– Pai, você ainda está vivo. Vê se para de falar na sua morte, por favor!

– Não seja tão delicado, Rafael. A morte é só uma porta. Ela será aberta para que eu vá para a morada celestial. Enquanto você chora do lado de cá, eu pegarei meu trem na estação e serei encaminhado para minha nova casa. Um dia serei apresentado à Virgem Maria e aos seus anjos no céu. Será uma festa. Lembre-se disso quando estiver triste.

– Para mim, o que você está dizendo não serve de consolo. Ficarei muito chateado com Deus. Gostaria que ficasse comigo mais tempo...

Beijei meu pai na testa. Disse-lhe que iria tomar um banho e preparar minha refeição noturna. Quando pressenti que as lágrimas escorreriam, dei-lhe as costas e comecei a andar depressa em direção à porta.

– Sei que está chorando, garoto. Sou velho, mas não sou burro! Vou lhe deixar em paz por hoje. Depois não adianta fugir. Conversaremos mais! Ainda faltam alguns dias para minha partida.

Preferi não olhar para trás. Segui escada abaixo para beber um pouco de água na cozinha.

CAPÍTULO XII

Convento

Frei James se movia pesadamente pelas escadarias do convento. Acabara de deixar sua cela e estava na hora de assumir o posto de porteiro. Como havia se tornado um hábito, vinha declamando em voz baixa a passagem da Carta de São Paulo aos Efésios, capítulo 6: "Sirvam de bom grado, como se servissem ao Senhor, e não a homens. Vocês sabem que cada um receberá do Senhor o bem que tiver feito." No último ano, era um ritual constante, diário.

Após cinco repetições, tais palavras traziam alívio ao seu coração. Seu problema era o companheiro de cela: frei William, um homem irascível, que usava a idade avançada como desculpa para tudo. Seu objetivo era sempre manipular as pessoas. Queria ser servido a todo custo e, quando sua vontade não era cumprida, alegava piorar da enfermidade. Para completar, era racista e James tinha a pele negra reluzente, que exibia com muito orgulho.

James havia sido encarregado dos cuidados pessoais de frei William na função de acompanhante e enfermeiro. Não poderia haver penitência mais dura para se cumprir naquele lugar. Logo ele? O superior alegou que ele era o frade mais forte e mais jovem do convento. Era ideal para cumprir a missão de cuidar das necessidades fisiológicas do frade doente.

Um dia, muito aborrecido, James foi à sala do superior para reclamar: "O homem não me suporta porque sou negro! Não dá para viver na mesma cela que ele, irmão. Peço encarecidamente que me libere deste fardo. Farei qualquer outra função com muito amor." De nada adiantou.

A obediência era, segundo frei James, o mais árduo de todos os três votos obrigatórios para os irmãos capuchinhos. Ele achava graça dos jovens postulantes que vinham lhe perguntar a respeito do voto de castidade. Com esse James nunca tivera problemas. Era muito disciplinado e concentrado em seus afazeres, não dava tempo de pensar em mulheres. O voto de pobreza, então, nem se fala! Fora muito pobre na infância e na adolescência. A vida no convento parecia uma estadia em hotel de luxo para quem vivera o inferno que ele havia passado com sua família. Mas a tal da obediência...

Certo dia, em resposta às súplicas de James, o frade superior sacou a Bíblia do bolso como se fosse uma arma e leu a passagem da Carta aos Efésios. Aquilo impressionou tanto o jovem que ele a decorou. Sempre que a raiva lhe subia à cabeça e tinha vontade de apertar o frágil pescoço de frei William com suas mãos gigantes, recitava as belas palavras de São Paulo. Depois de algum tempo, acalmava-se. Como disfarçava bem sua destemperança, o frade idoso não percebia que aquele homem imenso se incomodava tanto diante das provocações.

Pelo menos seu trabalho de babá não era em tempo integral. Das nove até o meio-dia, desempenhava a função de porteiro. Era extremamente agradável, pois podia interagir com as pessoas do bairro que frequentavam o convento. Na parte da tarde, após o almoço, voltava a ser o enfermeiro do velhote insuportável.

Por diversas vezes, analisando aquela situação, concluiu que o frade superior queria lhe dar uma lição, já que tinha tão poucos anos de sacerdócio. Um ano inteiro se passara desde que havia assumido os cuidados de frei William. Já era suficiente. Lembrava-se do tempo em que era boxeador profissional, quando passava por treinamentos muito duros. Eram horas e horas de sacrifício. Dava o sangue pela profissão, literalmente. Agora que não precisava mais apanhar fisicamente para ganhar a vida, a luta com frei William aparentava ser bem mais complicada do que as que tivera contra pesos pesados do circuito profissional americano.

Naquela manhã, pedira a Deus que enviasse alguém mais jovem, igualmente forte, para levar adiante a missão de cuidar daquele senhor detestável. Tinha uma vontade enorme de dizer aos irmãos tudo o que pensava dos maus-tratos a que era submetido pelo frade mais idoso do convento. Na realidade, estava bem determinado a fazê-lo após a missa matinal. A homilia de frei Thomaz – o segundo mais velho e o frade mais alegre e simpático de Boston – aniquilou seus planos.

– Viram, meus filhinhos? São Tiago, com sua imensa sabedoria, nos dá uma diretriz serena para levarmos a vida em paz com nossos semelhantes. No capítulo 3 de sua carta, ele escreve: "Nenhum homem consegue domar a língua. Ela não tem freio e está cheia de veneno mortal. Com ela bendizemos o Senhor e Pai, e com ela amaldiçoamos os homens, feitos à semelhança de Deus."

Apesar da idade, frei Thomaz conservava um sorriso jovial.

– Não é só isso. São Tiago continua: "Da mesma boca saem bênção e maldição. Meus irmãos, isso não pode acontecer! Por acaso, a fonte pode fazer jorrar da mesma mina água doce e água salobra? Meus irmãos, por acaso uma figueira pode dar azeitonas, e uma videira pode dar figos? Assim também uma fonte salgada não pode produzir água doce. Quem é sábio e inteligente entre vocês? Pois então, mostre com a boa conduta que suas ações são de uma sabedoria humilde."

Com passos encurtados pelo tempo, frei Thomaz caminhou até parar na frente de James.

– Já pensou se você se rendesse aos maus pensamentos e dissesse para cada irmão tudo de ruim que pensa deles, irmão James?

O idoso se pôs a rir. James se encolheu o máximo possível, levando em conta que tinha 1,95 metro. Thomaz havia lido sua mente: queria dizer "verdades" para todos, especialmente para o frade detestável.

– Não se incomode, meu querido irmão gigante! Eu também, durante muitos anos da minha vida, quis dizer para as pessoas tudo o que me indignava. Um dia me apareceu em sonho o próprio apóstolo Tiago! É verdade!

O murmúrio da plateia se elevou. Alguns pensaram que o homem não estava em seu juízo perfeito em razão dos 83 anos.

– Acalmem-se um pouco, pois já perdi minha voz de tenor!

Todos riram e retornaram ao silêncio, dando espaço à voz daquele sábio senhor.

– Como eu dizia, o apóstolo me apareceu e disse que, no capítulo 3 de sua carta, estava o grande desafio para minha santidade. Se eu conseguisse domar minha língua, conseguiria entrar no Paraíso. Aquilo me causou grande aflição, já que, pessoalmente, nunca havia conhecido um homem capaz de dominá-la com maestria em todos os momentos da vida. Vivenciar aquele capítulo é mais difícil do que parece. Muita gente consegue ser gentil quando o assunto é lidar com pessoas com quem não coabitam.

Frei Thomaz percebeu os olhares desconfiados e a dúvida a respeito do que suas palavras significavam.

– O mais difícil é domarmos nossas línguas e sermos gentis com as pessoas com quem convivemos na própria casa. Aí, sim, temos um grande desafio. Tenho observado o comportamento de alguns irmãos aqui no convento. Percebo como são venerados como homens de grande bondade pelas pessoas do bairro. Não que isso seja mentira. Acredito que serão santos um dia. Mas não aprovo alguns comportamentos que presencio aqui dentro.

Nesse momento nenhum frade, jovem ou idoso, ousou encarar frei Thomaz.

– Gostaria de firmar um compromisso com vocês. Sejamos transparentes. Não podemos ser santos lá fora, no mundo, e demoníacos na própria casa. Não podemos proferir palavras de amor só para as pessoas com quem não temos que conviver.

Grande parte da assembleia levou as mãos aos lábios fechados. Frei James olhava para as suas, entrelaçadas no colo. Nunca fora capaz de refrear os impulsos da boca. Colocava a culpa em sua infância pobre e na carreira de lutador, em que as provocações e xingamentos eram parte do cotidiano. Infelizmente, tinha consciência de que tais desculpas não eram válidas diante de Deus. Precisava mudar com urgência. Sua única vantagem era não ser uma pessoa dentro do convento e outra do lado de fora.

– Bem, meus irmãos, como sabem, continuo tentando domar minha língua em todos os dias e minutos da minha vida. Algum progresso já fiz. Pode ser que consiga a proeza de vencer o desafio que me foi imposto pelo apóstolo Tiago. Tomara que vocês, a partir de hoje, tenham essa meta também. Era o que eu queria partilhar nesta bela manhã, muito obrigado por me escutarem com interesse.

Ao final da missa, frei James levou frei William para sua cela. Ouviu, logo de cara, as costumeiras provocações:

– Irmão negro, viu só como você vai para o inferno? O jeito insolente com que fala comigo é um absurdo. Você é um homem sem caridade e maldoso. Já reclamei para todos daqui. Não sei como o tornaram sacerdote. Um grande erro! Mas Deus vai cobrá-lo, você verá.

As palavras de frei Thomaz fizeram um bem tão grande a James que, a partir de então, ele resolveu enfrentar o velhote com um sorriso.

Depois de higienizar frei William, James assumiu seu posto como porteiro. Sentou-se na cadeira de madeira junto ao portão principal do convento. Apesar de sorrir para todos, ainda estava aborrecido com as palavras espinhosas usadas pelo velho para maltratá-lo. Precisou dos dois remédios que conhecia para conter sua ira: a Carta de São Paulo aos Efésios e a Carta de São Tiago! Servir aos irmãos era servir ao próprio Deus e isso deveria ser feito com domínio total sobre a língua.

Baixou a cabeça para esticar o pescoço e ouviu três batidas na porta. Imediatamente se alegrou: teria alguém para conversar! Que felicidade quando procuravam o convento franciscano. Quando abriu a porta, deparou-se com um jovem quase da sua altura. Era loiro e esguio, do tipo longilíneo. Seus olhos eram aflitos e a boca estava entreaberta, ofegante, como a de quem acaba de lutar um round muito intenso.

– Então, meu jovem, em que posso ajudá-lo? – O frade abriu um sorriso alvo.

– Meu Deus!

O jovem tomou um susto e deu dois passos para trás, colocando a mão na boca.

– O que houve? Viu algo de ruim?

– Não é possível! Você é o Trovão Negro! – exclamou o jovem, apontando para James, que deu uma gargalhada sonora.

– Há quantos anos não me chamam assim!

A gargalhada podia ser ouvida por todo o quarteirão.

– Como isso aconteceu a você? Uma lenda viva do boxe americano!

– Que é isso, rapaz? Acha que ser frade capuchinho é ruim?

– Claro que não. Eu mesmo desejo me tornar um. Estou falando de você! Um campeão do boxe nacional. Como veio parar aqui, em um convento?

– Ora, não percebe? Sou frade capuchinho! – disse James, alisando o hábito.

– Estou vendo. Gostaria de saber como isso aconteceu a um boxeador!

– Mas quanto preconceito, não é, moço?

James não gostou de o jovem não aceitar sua vocação só porque ele havia sido lutador profissional.

– Desculpe-me, de verdade. Fui muito rude. É que me assustei. Não esperava ver um dos meus ídolos vestindo o hábito que gostaria de trajar um dia.

– Espere um momento! Você realmente quer se tornar um de nós?

– Como já disse, quero ser frade capuchinho.

James se encheu de alegria. Finalmente, depois de anos, uma vocação para sua ordem. Deus ouvira sua oração e mandara alguém jovem. De repente aquele rapaz louro poderia se tornar o mais novo acompanhante do detestável frei William.

– Como é seu nome?

– Henry Bloom.

– Qual é a sua profissão?

– Sou aviador da Força Aérea dos Estados Unidos.

James deu uma nova gargalhada. Dessa vez quem ficou aborrecido foi Bloom.

– Então parece que não sou o único preconceituoso de Boston, não é mesmo?

– Agora quem pede desculpas sou eu, Henry.

Ambos começaram a rir sonoramente. O animado diálogo chamou a atenção de frei Thomaz, que surgiu pela porta para ver o que estava acontecendo.

– O que temos aqui, irmão James?

– Irmão Thomaz, este é um jovem militar da Força Aérea. Seu nome é Henry Bloom. Disse que quer seguir os passos de nosso pai, São Francisco.

– Que alegria! A última vocação que recebemos aqui no convento foi a sua, frei James. Já se vão quase dez anos! Aliás, se não me engano, irmão James era bem mais novo do que você, Bloom.

– Provavelmente, senhor. Só agora, tardiamente, decidi me tornar sacerdote. O senhor é o encarregado das vocações por aqui, frei Thomaz?

Os olhos de Bloom brilharam. Um bom velhinho era tudo de que ele precisava.

– Se você tivesse chegado há trinta anos, eu diria que sim. Hoje, como pode perceber, sou apenas um fardo para meus irmãos mais jovens.

– Não é verdade. Bloom, este é o frade mais amado pelo povo de Boston. Um verdadeiro santo. Uma honra tê-lo conosco. É dono de palavras de sabedoria que tocam até os corações mais duros.

– Chega, irmão James. Assim vai me fazer chorar de emoção. Não exagere, pois o rapaz pode achar que somos loucos. Não podemos perder vocações em tempos tão difíceis.

– Verdade. Vou levar Henry até o nosso superior.

– O superior é quem avalia as vocações, irmão James? – quis saber Bloom.

– Não, ele as encaminha aos responsáveis pelo seminário. Eles decidem se um postulante tem ou não vocação para seguir a vida religiosa.

Irmão Thomaz se despediu e seguiu por um corredor mal iluminado. Apoiando-se em uma das paredes de pedra, começou uma lenta subida pela escada escura e sumiu de vista.

– Frei James, não é perigoso deixar frei Thomaz subir sozinho uma escada assim?

– Ainda bem que perguntou isso em voz baixa! Ele detesta ser tratado como inválido. Prefere fazer todas as tarefas sozinho. Continua participando da vida monástica como sempre. Gosta de dizer que morrerá trabalhando.

– Entendo.

Frei James pediu que Bloom se sentasse em um banco no belo jardim interno. Explicou que iria falar com o superior sobre o seu caso e que provavelmente ele o receberia em alguns minutos. O coração do aviador se acelerou e a respiração se tornou ofegante. Tentou se controlar, pois precisava causar uma boa impressão.

– Pode entrar, Henry. Frei Charles, nosso superior, vai atendê-lo agora – informou o gigante, abrindo uma das portas envelhecidas pelo tempo.

Depois de anunciá-lo, frei James se retirou, deixando-os a sós.

– Sente-se, meu jovem. Em que posso lhe ser útil?

O frade superior não era um homem idoso, como esperava Bloom. Devia ter algo em torno dos 45 anos. Seus cabelos pretos eram salpicados de pontos brancos. Era magro e tinha os gestos vigorosos. Sua voz era muito agradável e os olhos escuros pareciam dois ímãs.

– Senhor, me chamo Henry Bloom. Sou oficial da Força Aérea dos Estados Unidos e estou retornando de uma campanha vitoriosa no continente europeu.

– Meus parabéns e minhas bênçãos. Por que veio até mim? Está precisando de algo?

Bloom percebeu que aquele homem era bem pragmático. Melhor seria ir direto ao ponto.

– Sim. Fui informado por frei James que o senhor é quem avalia as vocações por aqui.

Houve uma pausa. Frei Charles permaneceu imóvel, com as mãos pousadas na mesa.

– Não sei se estou enganado, senhor – Bloom quebrou o silêncio.

– Não precisa ter modos militares comigo. Sei que é homem da mais elevada educação. Pode relaxar. Costumo ficar em silêncio quando medito sobre questões sérias.

– Questões sérias, senhor?

– Sim. Uma vocação é algo da mais alta importância para nós, capuchinhos.

– Quero, antes de mais nada, dizer que estou seriamente decidido.

– Claro. Mas, neste exato momento, me pergunto se você não sofreu algum tipo de trauma em combate para decidir encerrar, de forma tão rápida, sua bela carreira militar.

– Frei Charles, com todo o respeito, não sou homem de frescuras. Não há qualquer tipo de trauma de guerra. Venci todas as minhas batalhas. Não tenho nenhum tipo de ferimento de guerra. Não perdi, em combate, nenhum amigo da minha esquadrilha.

– Calma. É minha obrigação perscrutar seu coração e sua mente. Preciso acreditar, como você, que seu destino é o hábito capuchinho. Não é algo pessoal, entende?

Bloom ficou envergonhado com sua reação.

– Frei Charles, o fato é que fiquei bastante impressionado com o modo de vida dos frades capuchinhos. Passei alguns dias com seus irmãos italianos, em San Giovanni Rotondo.

– Não entendi.

– Eu e um amigo, também militar, fomos atacados na estrada próxima ao convento e ficamos muito feridos. Pedimos socorro aos frades capuchinhos, que nos acolheram de bom grado. Ficamos com eles por alguns dias enquanto nos recuperávamos dos ferimentos. Nesse tempo, participei da rotina do convento como se fosse um dos irmãos. Gostei muito da experiência.

– Imagino que tenha conhecido padre Pio.

– Sim. Um homem estranho. Dizem que...

Bloom achou melhor não falar muito de alguém tão polêmico.

– Estranho em que sentido?

– Bem, parece que ele tem alguns poderes paranormais.

Logo que concluiu a frase, Bloom soube que tinha estragado sua entrevista. Os olhos de frei Charles se escureceram.

– Estive também na igreja da Piazza Barberini com frei Giacomo. Um homem muito culto e simpático. – Bloom tentou desfazer o mal-estar mudando o foco da conversa.

– Conheceu frei Giacomo! Ele foi meu professor de teologia no seminário. Morou aqui em Boston durante alguns anos. Fala bem a nossa língua. Realmente é um sujeito culto... – O tom de frei Charles não era muito amigável.

– O senhor aprova minha vocação?

Vendo que a situação não caminhava bem, Bloom decidiu forçar logo o veredicto.

– Acho que deve colocar sua farda e voltar para as fileiras de nossa Força Aérea. Será melhor aproveitado por lá. Como é sobrevivente de uma guerra tão horrível, acredito que sua verdadeira vocação seja o combate aéreo. Tenha um bom dia! Frei James vai encaminhá-lo à porta.

Frei Charles se levantou e abriu a pesada porta de madeira, gesticulando com calma para que o rapaz se retirasse. Bloom encontrou frei James do lado de fora, sentado no banco.

– E então, Henry? Quando vem para o seminário? – perguntou o frade alegremente.

– Sinto muito, frei James, mas não fui aceito pelo superior. Ele acha que não tenho vocação – respondeu Bloom, cabisbaixo.

– Não é possível! – exclamou James, indignado.

– Parece que não posso fazer muito a respeito.

– Não diga uma besteira dessas! Vou lhe contar uma coisa. No dia em que fiz a entrevista para entrar no seminário, fui recusado porque era lutador de boxe. O encarregado disse que eu era um homem violento, que não podia seguir Cristo.

Frei James pousou a mão gigante no ombro de Bloom.

– Se foi recusado, como fez para vestir o hábito capuchinho?

– Não desisti. Todos os dias, às cinco da manhã, batia com toda a força na porta do seminário e pedia para entrar.

– Demorou muito para ser aceito? – Agora o aviador tinha uma ponta de esperança.

– Fui recusado pelo mesmo homem durante dez meses!

O gigante abriu um imenso sorriso para Bloom, incentivando-o a prosseguir em sua busca.

– Durante todo esse tempo você foi ao seminário pedir sua admissão?

– Sim. Eu tinha até uma rotina! Ouvia a recusa e partia dali para correr meus costumeiros 12 quilômetros. Durante todo o percurso, rezava o rosário. Depois, treinava na academia de boxe de um grande amigo, tomava banho e ia para o trabalho.

– Rezava enquanto corria?

– Claro! Era uma boa forma de concentrar minha mente na oração. Com o ritmo da corrida, eu marcava o ritmo das Ave-Marias. Enrolava o terço na mão e passava as contas com os dedos, enquanto dava minhas passadas.

– Nunca pensei nisso. Vou adotar essa prática, frei James.

– É um ótimo exercício para purificar o corpo, a mente e o espírito ao mesmo tempo.

– Você deve ser o homem mais perseverante do universo, frei James!

– Henry, não foi à toa que me tornei campeão americano dos pesos pesados! – disse o gigante, todo orgulhoso.

– Não tenho a mesma força de vontade que você, frei James.

– Não desista. Olhe, você também é jovem. Tem praticamente a minha idade. Se realmente sentiu o chamado de Cristo no fundo do coração, não jogue tudo fora! É o maior tesouro que um homem pode encontrar.

As palavras de frei James inflamaram Bloom.

– Mas acho que não adianta bater na porta do mesmo homem. A quem devo procurar?

– Espere um segundo aqui fora. Já volto.

Bloom aguardou enquanto o gigante sumia lá dentro. Depois de dez minutos, a porta se abriu novamente.

– Aqui está. Não conte a ninguém que lhe dei este endereço. O nome que está no papel é do reitor do seminário da nossa ordem aqui na região. É um grande homem. Duvido que vá recusar você. Acredite, Henry!

– Muito obrigado, frei James! – O sorriso voltou ao rosto de Bloom.

Fazia muito frio. O vento era cortante como uma navalha. Bloom sentiu o rosto enrijecer. A boca parecia congelar. Colocou as mãos nos bolsos do agasalho e partiu pela rua. Seus passos eram constantes, mas não sentia muito os pés. Percebeu que a neve começara a cair, fazendo cócegas no nariz. Deixaria o desafio de ingressar no seminário para outro dia. Aquela derrota precisava ser digerida.

Quando chegou em casa, encontrou os pais na sala. Já havia contado a ambos que queria se tornar sacerdote. Apesar de católicos, foram contrários à ideia.

– Então, meu filho? Como foi a entrevista no convento? – quis saber a mãe.

– Não foi boa, mãe. O superior pensa que não tenho vocação. Acho que fui discriminado por ser militar.

– Graças a Deus! – exclamou o brigadeiro.

– Pai, minha vocação é autêntica, não diga uma coisa assim.

– Henry, você está com algum tipo de trauma pós-guerra. Tenho certeza de que, passados mais alguns meses, você ficará bem. Sua cabeça vai esfriar e você será designado novamente para outra missão. Vai esquecer esse negócio de ser padre.

– Quero que saibam que não vou desistir. A recusa do superior não fecha definitivamente a porta para mim. Tomarei outra providência em breve – concluiu Bloom, subindo as escadas para o quarto.

Trocou de roupa, deitou na cama e apagou a luz. Pegou o terço e começou a recitá-lo. Antes de cada mistério, pedia com todas as forças a Nossa Senhora que lhe desse uma luz. Como agir naquelas circunstâncias? Devia seguir o conselho de um homem como frei James? Mas ele não parecia um sábio. Era um lutador de boxe, aposentado precocemente!

Quando alcançou o quarto mistério doloroso, Bloom perdeu a consciência, entregando-se ao sono. Sonhou com padre Pio lhe dizendo que, muitas vezes, Deus quer comprovar nossa persistência e humildade e nos aplica testes rigorosos. Diante deles, alguns desistem, enquanto outros seguem firmes pela vida e, no fim, são vencedores.

Bloom despertou com o sol no rosto. Sentou-se na cama e calçou os chinelos. Bagunçou os cabelos loiros, deixando-os ainda mais arrepiados. Levantou-se e se alongou. Enquanto se despia no banheiro, lembrou-se do sonho com o frade italiano.

Tomou banho tentando reconstruir as palavras que padre Pio dissera. Assim que se enxugou, a frase se recompôs perfeitamente. Seu coração se encheu de coragem, pois não era de desistir diante de percalços. Era um guerreiro! Procurou pelo bilhete que frei James havia escrito, com o endereço do seminário.

Encontrou-o na mesa de cabeceira. Antes de se vestir, recitou o que estava escrito em voz alta: "Procure por frei Bernard no seminário capuchinho que fica no km 21, na saída da cidade de Boston."

Abriu um sorriso. Nada mais humilde do que seguir o conselho religioso de um lutador de boxe.

CAPÍTULO XIII

Bloom

No dia seguinte, a neve parou de cair sobre Boston, mas ainda havia uma boa camada cobrindo os gramados. As nuvens desapareceram por completo. Uma pálida luz azul atravessava toda a cidade, que, apesar da baixa temperatura, estava ensolarada. O Natal se aproximava e a vizinhança de Bloom se achava toda enfeitada. Seu coração estava bem mais confiante do que no dia anterior.

Pegou o carro e saiu da garagem com o terço enrolado na mão que segurava o volante. Quando os pneus tocaram o asfalto, Bloom pediu em voz alta:

– Virgem Maria, minha Mãe, se o chamado que sinto no coração é verdadeiro, não deixe que se perca. Não permita que os homens me julguem por minha aparência.

Havia pouco movimento na estrada. Bloom chegou ao seminário em menos de trinta minutos. Antes de abrir a porta do carro, olhou para o crucifixo do terço, fechou os olhos, nervoso, e pensou: "Meu Deus, me ajude!" Então deixou o automóvel para encarar a manhã fria.

Começou a caminhar através de um belíssimo jardim, em direção à porta de madeira negra do seminário. Antes que batesse, ela se abriu e surgiu um homem muito idoso em uma cadeira de rodas empurrada por um frade jovem. Bloom deu um passo para o lado, a fim de que ambos pudessem passar.

– Espere, frei Paul! Temos um visitante aqui – disse o idoso.

– Frei Francis, está na hora do seu banho de sol. Não podemos atender o visitante agora. Nossos irmãos se encarregarão dele – respondeu o mais novo, sem se deter.

– Menino, venha caminhar conosco. De onde você vem?

Ignorando o que o outro dissera, frei Francis virou a cabeça para Bloom.

– Sou de Boston. Meu nome é Henry. Estou aqui para ver o encarregado do seminário. Poderiam me mostrar o caminho?

– Claro – disse o mais jovem, parando. – Sou frei Paul, professor de Teologia do seminário. O reitor é o frei Peter. Aguarde só um minuto, vou chamar um dos seminaristas para levá-lo até ele.

Travou as rodas da cadeira e deixou frei Francis em sua companhia, voltando para dentro do convento.

– Somos poucos por aqui, rapaz. Eu já estou aposentado, como pode ver. Não vejo muitas vocações surgindo e temo que minha amada ordem se acabe em breve. Veio fazer doações ou está aqui a passeio?

– Vim para conversar com o reitor. Gostaria de fazer algumas perguntas a respeito da vida sacerdotal. – Bloom preferiu ser mais cauteloso desta vez.

– Você é jornalista?

– Não, o senhor não entendeu bem. Estou interessado na forma como vivem os capuchinhos, mas não sou jornalista.

Nesse momento, frei Paul voltou trazendo um rapaz franzino, bem mais novo do que Bloom.

– Pronto. Este é o seminarista John. Vai levá-lo até nosso reitor. Bom dia!

Frei Paul se inclinou, fazendo força para movimentar a cadeira de rodas.

Frei Paul e frei Francis seguiram pelos jardins conversando animadamente enquanto John conduzia Bloom para o interior da construção. Andaram até um salão vasto, com quadros antigos de santos pendurados nas paredes de pedra. Sentou-se em um banco de madeira, aguardando ser chamado.

Uma porta quadrada destoava da arquitetura do local, parecendo ter sido improvisada. Exatos dezessete minutos depois, ela se abriu. Surgiu um frade capuchinho que aparentava ter uns 50 anos. Seu olhar era severo e cansado. Apoiou a mão esquerda no batente e pediu que Bloom entrasse.

– Bom dia. Sou frei Peter, reitor do seminário. Em que posso lhe ser útil? – perguntou, com voz firme, mas controlada.

– Bom dia, meu nome é Henry Bloom e gostaria de ser frade capuchinho como o senhor.

Como já tinha sido rechaçado no convento de Boston, o militar julgava não ter mais nada a perder. Tudo o que queria era resolver aquele impasse imediatamente.

– Uma vocação – falou frei Peter, sem alterar o tom de voz.

A frase pairou no ar por um minuto enquanto os dois homens se encaravam.

– Tenho certeza de que o senhor ouve uma série de pedidos. Não sei se é comum este seminário receber um homem como eu, já com certa idade e uma vida profissional. Vi que o seminarista que me conduziu até aqui era bem jovem.

Bloom não sabia o que dizer para quebrar o silêncio, então apresentou suas observações.

– Não existe uma idade-limite para se tornar sacerdote e não me aparece uma vocação por aqui há quatro anos. Que profissão exerce?

– Sou militar da Força Aérea dos Estados Unidos.

– Estou pasmo! – exclamou o reitor.

– Por quê?

Em vez de fazer algum comentário sobre sua profissão ou idade, o reitor apenas dissera algo sem sentido. Ou talvez fosse apenas ironia. Em todo caso, era melhor ficar em silêncio e esperar para ver no que dava.

Frei Peter tirou os óculos redondos e pressionou a ponta do nariz. Deu uma risadinha, fechando os olhos. Respirou fundo e recolocou os óculos. Olhou fixamente para Bloom. Parecia estar vendo uma assombração.

– Não imaginei que você viesse nos procurar.

– O senhor me conhece? De onde?

– Na verdade não o conheço. Mas recebi ótimas referências suas por uma carta de um amigo italiano, frei Piero.

Bloom abriu um enorme sorriso.

– O senhor o conhece, frei Peter?

– Muito bem. Fui seu professor de Teologia quando esteve aqui em Boston para a pós-graduação.

– Frei Piero é um homem especial. Foi com ele que me confessei, depois de muitos anos afastado da Igreja Católica. Posso lhe garantir que meu pedido ao senhor tem a influência dele.

– Na carta que recebi, ele me informava sobre a possível visita de um tenente da Força Aérea. O motivo seria o pleito de uma vaga em nosso seminário.

– Estou impressionado! Disse a frei Piero que tinha feito uma promessa a Deus e que desejava me tornar religioso. Mas não podia imaginar que ele escreveria para cá contando tudo.

– Pois foi o que o homem fez.

O reitor ficou uns instantes em silêncio, encarando Bloom. Parecia estar fazendo algum tipo de cálculo.

– Não sei se frei Piero lhe contou, mas ele é o atual encarregado de arregimentar novas vocações para a nossa ordem naquela região da Itália.

Bloom arregalou os olhos. O italiano não dissera nada a respeito.

– Então o senhor está com o parecer de um homem qualificado nas mãos. Espero que ele tenha sido favorável à minha vocação, do contrário terei muita dificuldade em convencê-lo.

– Garanto que o parecer de Piero é bem melhor do que qualquer opinião minha, mesmo porque ele me contou que o tenente passou alguns dias vivendo no convento de San Giovanni Rotondo.

– É verdade. Cheguei até a vestir o hábito capuchinho.

– Sim, eu sei. A carta é longa e narra em detalhes a saga vivida pelo tenente e certo capitão, que estava em coma.

– Meu amigo Connors.

– Ele teria sido curado durante uma oração feita pelo padre Pio. Foi isso mesmo que ocorreu?

– Frei Peter, não sei. Não acredito que o padre Pio tivesse tamanho poder. Mas de fato Connors saiu do coma durante a vigília que o frade fez, rezando o rosário. Meu amigo atribuiu sua recuperação ao homem.

– Sou capuchinho há muitos anos e nunca tive a oportunidade de estar com o padre Pio. Vocês são privilegiados.

– E quanto à minha vocação? Qual a opinião do senhor?

Bloom estava muito ansioso. Não aguentava mais tanto suspense. Queria sua situação definida logo.

– Trouxe suas coisas? – quis saber o reitor.

– Como disse?

– Está preparado para a vida religiosa? Estamos dispostos a recebê-lo aqui imediatamente.

Os olhos de Bloom se iluminaram como as luzes de Natal.

– Venha comigo – convidou o frade.

Frei Peter caminhou com Bloom pelos corredores que circundavam um belo jardim interno. Seguiram por um corredor lateral, mais escuro, repleto de portas fechadas. Pararam no final dele, próximos a uma parede que selava aquela via. O frade abriu a porta.

– Este é o seu quarto, irmão Bloom.

– Frei Peter, quer dizer que fui admitido?

– Claro que sim. Seus estudos começarão em janeiro, mas gostaria que viesse morar conosco imediatamente, para se ambientar a nossa rotina.

Bloom retornou com seus pertences no dia seguinte. Chegou ao seminário às seis da manhã, conduzido pelo pai. Ao se despedirem, ficou acertada sua presença na ceia de Natal, com a família, em Boston. Quando pisou no corredor onde ficava seu quarto, o coração comemorava. Havia conquistado a vitória com persistência e humildade.

Alguns anos depois, ao concluir os estudos no seminário, Bloom foi recepcionado no mesmo convento em que havia sido rejeitado. Recebeu um abraço tão forte de frei James que sua coluna estalou. Parecia que aquele lugar tinha parado no tempo. O gigante negro continuava sendo o porteiro e frei Charles ainda era o superior.

– Então, conseguiu sua ordenação sacerdotal. Estou impressionado – disse frei Charles em tom pacífico.

– Fico muito feliz de ter sido designado para esta casa. É uma honra servir como sacerdote em minha cidade. – Bloom queria mostrar boa vontade para com o homem.

– Que bom. É realmente importante que esteja disposto a servir. Nosso caminho na Terra se dá por meio do serviço aos irmãos. Assim sendo, resolvi escalar você para o lugar de frei James.

– Como assim? Serei o porteiro do convento?

Aquela era uma posição de honra. Significava um bom posto dentro da hierarquia dos irmãos e ele acabara de chegar. Não seria correto para com os outros frades.

– Claro que não. Um frade recém-ordenado não poderia assumir uma função de tamanho relevo, concorda?

Um sorriso discreto surgira no rosto de frei Charles.

– Sim, concordo. Por isso não entendi bem o que o senhor quis dizer.

– Temos em nossa casa um frade muito idoso, que requer muitos cuidados. Ele tem sido uma grande penitência para nosso bondoso frei James. Sei que nosso irmão gigante reza todos os dias, pedindo a Deus que o livre do fardo que é frei William. Finalmente acho que encontrei uma solução para o caso.

– Recebo a incumbência humildemente, senhor.

Bloom sabia que não poderia mesmo recusar a tarefa, então era melhor abraçá-la como uma boa oportunidade de obter a amizade de frei Charles. Além do mais, não poderia haver uma penitência pior do que o desastroso começo do caminho que havia trilhado até ser ordenado padre.

– Então está tudo sacramentado. Hoje mesmo, leve seus pertences para a cela de frei William. Vou chamar frei James e informá-lo de que está liberado dessa obrigação. A partir de agora, ele ficará encarregado só da portaria do convento.

Frei Charles se levantou e abriu a porta da sala para dar passagem a Bloom.

A alegria de James foi tanta que ele ergueu o amigo do solo com um só braço. Ao pousá-lo no chão, tascou-lhe um beijo na bochecha rosada.

– Meu amigo, você não tem ideia da alegria que é vê-lo assumir meu fardo! – disparou o homenzarrão, sem nenhum constrangimento.

– O que o velhinho fez de tão grave para você ficar tão alegre por se livrar dele?

– Se eu fosse lhe contar, pecaria gravemente. Já disse a Nosso Senhor Jesus Cristo que não falaria mais do irmão William. Só pedia, todos os dias, que Deus me livrasse dele. Todos os dias!

Quando Bloom tomou seu lugar na cela, percebeu a cara de poucos amigos do idoso. Definitivamente o homem não estava feliz com a troca de companhia. Para quebrar o gelo, tentou travar uma conversa amistosa.

– Frei William, é uma alegria poder servi-lo, já que o senhor é o sacerdote mais antigo de nossa comunidade.

– Mais um bajulador! – exclamou o homem, torcendo o nariz aquilino.

– Entendo que o senhor esteja um pouco triste com a mudança de companheiro, mas farei o máximo para lhe ser agradável.

– Ser mais desagradável do que aquele negro espaçoso é mesmo difícil, garoto – grunhiu William.

– Se era assim, então o senhor deve estar satisfeito. Sua provação chegou ao fim.

– Não, moleque. Ela está apenas começando. Antes ao menos eu tinha uma diversão: ver a cara de assustado daquele mastodonte. Agora só tenho um meninote, um filhinho de papai que, apesar da idade, ainda usa fraldas! – William deu uma risada maléfica.

– Pois é... Para seu azar, parece que vai passar seus últimos anos de vida comigo!

Bloom retribuiu a risada.

Na Quaresma do ano seguinte, frei William faleceu. Durante todo o tempo em que serviu o homem, Bloom nunca reclamou de nada. Estava sempre com um sorriso e amava seu sacerdócio. Inabalável na fé, mesmo sendo um dos mais jovens do convento, era consultado pelos outros frades a respeito dos mais diversos assuntos.

Em uma tarde de domingo, após o almoço comunitário, Bloom foi chamado à sala do superior. A relação entre os dois homens era, até então, apenas cordial. Frei Charles admirava a conduta altamente disciplinada do jovem, mas nunca lhe tecia elogios. Percebia que muitas senhoras da comunidade faziam questão de vir às missas que Henry celebrava. Chegou a questionar algumas delas sobre a preferência, obtendo de todas a mesma resposta: as homilias de frei Bloom eram inspiradíssimas e falavam de coisas que elas experimentavam no cotidiano.

– Frei Bloom, sente-se, por favor.

– Boa tarde, frei Charles.

– Sabe que o observo diariamente. – começou o superior, direto como sempre.

– O senhor observa a todos nós. É a função do superior do convento, não é? – perguntou Bloom, com um sorriso.

– Sim, mas o tenho observado mais de perto. Inclusive, participei de algumas de suas missas lá do coreto da igreja.

O rapaz se espantou, pois não contava com isso.

— Não precisa se assustar. Sua habilidade como pregador é razoável. Dá para perceber que tem se preparado para o seu ofício.

Bloom não sabia se considerava aquilo um elogio ou uma crítica irônica.

— Mas não foi por causa das suas homilias que o chamei aqui.

Seguiu-se um breve silêncio. Para que chamá-lo em uma tarde de domingo, antes da missa que celebraria? Só podia ser reclamação de algum irmão ou de alguém da comunidade. Mas o que ele teria feito de errado?

— Recebi uma carta do Corpo Diplomático do Vaticano. Está assinada por um bispo americano que pertenceu à nossa ordem.

— Pertenceu à nossa ordem?

— Como sabe, quando um frade é nomeado bispo pelo papa, deixa a ordem a que pertence.

— Sim, sei muito bem disso, frei Charles. Só não sabia que tínhamos um irmão nosso no Corpo Diplomático do Vaticano.

— Seu nome é dom Gil. Ele nasceu aqui em Boston, como você. É um homem muito simpático e inteligente, eu o conheço pessoalmente. Estudamos juntos no seminário.

Bloom continuou em silêncio, sem entender bem aonde ele queria chegar.

— Resumindo, posso lhe dizer diretamente do que se trata?

— Por favor, frei Charles.

— Há uma vaga para um sacerdote americano no Corpo Diplomático do Vaticano. Segundo a correspondência que recebi, você foi indicado por um frade italiano que atualmente é professor de lá.

— Frei Piero! — exclamou Bloom imediatamente.

— O próprio — disse frei Charles com desgosto.

— O frade italiano é o homem de confiança de dom Gil na Itália. Uma curiosidade, Henry: você tem se correspondido com Piero ultimamente?

– Sim, frei Charles. Desde o dia em que me despedi dele, em San Giovanni Rotondo, não se passou um só mês sem que eu lhe mandasse uma carta. E ele, por sua vez, sempre me respondeu.

– Entendo agora a indicação – falou com desprezo.

– Frei Charles, o que deseja exatamente? Não conheço o bispo. O que devo fazer?

– Sei que não o conhece. Não foi por isso que o chamei.

Ambos ficaram em silêncio. Bloom não estava nada satisfeito com a atitude pouco agradável de frei Charles, mas procurou manter a calma.

– O assunto, irmão Henry, não precisa de esclarecimentos. Trata-se da convocação de um bispo do Vaticano. Não posso contestá-la. Então arrume suas malas: você vai partir para Roma na semana que vem.

O frade parecia inconformado. Bloom ficou estático.

– Não entendo. Fui designado para uma de nossas casas na Itália?

– Não. Foi escolhido para cursar a Pontifícia Academia Eclesiástica. Por mais inacreditável que possa parecer, você vai integrar o Corpo Diplomático do Vaticano. Em pouco tempo se tornará também um bispo.

O sangue de Bloom gelou. Não acreditava no que estava ouvindo.

– Só posso lhe agradecer, frei Charles. – Bloom quis encerrar a conversa gentilmente.

– Não deveria, pois fui contra essa indicação. Parece que meu irmão bispo deu mais ouvidos a frei Piero do que a mim – falou ele, cheio de mágoa.

– Obrigado, então, por me comunicar. Vou arrumar minhas coisas.

Bloom se graduou na Pontifícia Academia Eclesiástica com louvor. Após alguns anos, tornou-se núncio apostólico na Coreia do Sul, onde residiu durante algum tempo, conseguindo dominar por completo a língua local. Retornou ao Vaticano como bispo. Só voltava aos Estados Unidos por ocasião de suas férias, para visitar os pais, frei James e Connors.

Sempre que Bloom ia a Boston, fazia questão de participar da Pastoral dos Desamparados, comandada por frei James. Realizava a distribuição de sopa aos desabrigados junto com meu pai e com o gigante de ébano. Gostava de passar longas horas conversando com os dois. Os assuntos transitavam da política exterior até as questões religiosas. Todos os três nutriam um amor imensurável por Maria Santíssima e tinham por hobby lutar boxe.

Mesmo depois de se consagrar cardeal, fixando-se definitivamente em Roma, Bloom parecia não mudar. Era um homem extremamente disciplinado e simples. Não gostava da pompa que, muitas vezes, envolvia seu posto. Tratava os irmãos capuchinhos e demais sacerdotes de igual para igual e conversava com eles sobre os mais diversos assuntos.

Sua aposentadoria se dera recentemente. Na verdade ele não gostava do termo, pois dizia a todos que sacerdote nunca se aposenta de seu ministério. Os anos pareciam não pesar sobre suas costas largas e o papa lhe pediu que não se retirasse, mesmo depois de completar 75 anos. Então foi ficando. Por fim, quase dez anos depois do pedido papal, achou que era melhor dar vaga a outro.

Estava liberado dos trabalhos no Vaticano, mas não abandou seu serviço sacerdotal. Todo dia, ouvia incontáveis confissões das pessoas que frequentavam a paróquia romana onde escolhera viver. Continuou a celebrar a missa diária das sete da manhã. O horário não parecia incomodar os fiéis, que lotavam os bancos para ouvir seus sermões.

Para a tristeza de Connors e de frei James, Bloom não quis mais retornar a Boston. Roma estava entranhada no seu sangue, pois vivera lá a maior parte da vida. Era americano de nascença e romano por opção. Contou aos amigos que, após a morte do pai, o brigadeiro Bloom, havia perdido os últimos laços com a cidade onde nascera.

Connors e frei James iam a Roma todos os anos e passavam um mês na casa de Bloom. Era um momento de paz e harmonia. Para eles, a reunião funcionava como um grande retiro espiritual. Acompanhavam a rotina monástica do cardeal e podiam rezar o quanto queriam. Escolhiam um fim de semana qualquer e partiam em direção à Úmbria. Passavam alguns dias na cidade de Assis, onde ficavam hospedados com seus irmãos franciscanos.

Bloom ainda permaneceu alguns dias em Boston após o enterro, então aproveitei para visitá-lo. Levava no coração a missão designada por meu pai: perguntar ao cardeal quem era Deus, em sua opinião. Parecia uma tarefa muito fácil, já que ele era da mais alta hierarquia da Igreja Católica.

– Rafael, nada pode me alegrar mais nesta manhã do que a sua visita!

Ele estava trajando um hábito capuchinho. Ninguém o identificaria como um cardeal, nem mesmo como sacerdote aposentado. Manifestava um vigor inacreditável. Parecia não envelhecer nunca.

– Cardeal Bloom, como é bom revê-lo!

– Não me venha com títulos, por favor, rapaz. Parece que não me conhece desde que nasceu.

– Perdão, Henry. Gosto de dizer que conheço um cardeal da Igreja Católica, é algo diferente no meu mundo!

Ambos deram uma risada.

– Como está seu coração diante da terrível perda? Já adianto que o meu ainda está em tratamento – disse Bloom, com um sorriso simpático.

– Não estou muito bem, mas sinto que meu pai está o tempo todo velando por mim. Espero que esteja na companhia de minha mãe, o que ele mais queria na vida.

Ele sorriu afirmativamente.

– Henry, não queria incomodá-lo, mas tenho algo para lhe perguntar.

– Qualquer dúvida sua é bem-vinda. Mas já aviso: não sou um doutor nos assuntos da vida e da espiritualidade. Quanto mais envelheço, percebo que menos sei sobre tudo! É uma sensação estranha. Estudo muito, mas sei que me falta muita coisa.

– Está me dizendo isso porque é um homem muito humilde! Todos sabem da sua capacidade intelectual, Henry. Aliás, ela é famosa nos quatro cantos da Terra – falei com um sorriso leve.

– Você é sempre gentil. Sabe de uma coisa? Não só fisicamente, mas também por sua personalidade diplomática, você me lembra demais a sua mãe. Eu dizia isso sempre ao Connors.

– Não sabia. Ele concordava?

– Ele dizia que, todas as vezes que fitava seus olhos verdes e seus cabelos loiros, lembrava-se de Beth. Era como se você encarnasse a presença da sua mãe na vida dele. Imagina como isso o fazia feliz?

– Nunca pensei nisso. Mas sei que há muito de minha mãe em mim.

– Diga-me, qual é a sua dúvida, meu amigo?

– Meu pai me deixou uma ordem: "Pergunte ao cardeal Bloom quem é Deus." Foi o que vim fazer.

Bloom deu uma forte gargalhada.

– Não acredito! Connors era um gaiato mesmo!

– Bem que pensei se tratar de uma pergunta um tanto idiota...

– Claro que não! Ela é dificílima. Esse é o motivo da minha gargalhada.

Bloom se ajeitou na cadeira, preparando-se para um grande desafio.

– Imagino que não seja muito difícil para um homem que é doutor em Teologia e cardeal.

– Muito pelo contrário. É mais difícil ainda para um homem com as minhas qualificações.

– Não compreendo.

– Nem eu!

O sorriso não desaparecia do rosto de Bloom.

– Como assim?

– Não conheço ninguém que saiba definir Deus com exatidão.

– Mas isso não é possível!

Fiquei preocupado se não conseguiria cumprir a missão.

– Nós conhecemos apenas uma parcela da imensidão que é Deus. nós o conhecemos mais através da sua face humana: Jesus Cristo.

– Então não pode me ajudar? Dar alguma definição para eu levar comigo? – insisti.

– Tudo bem, posso tentar.

Bloom se recostou na poltrona e cruzou os braços. Fez um pouco de silêncio e me encarou.

– Deus é o perfeito equilíbrio entre a Justiça e o Amor.

– Tudo bem, Henry, mas o que significa isso na prática?

– Significa que, por causa de seu profundo amor, Ele nos educará de forma severa, como um Pai diligente e competente. Engana-se quem pensa que Deus é só Amor. Se assim fosse, passaria a mão na cabeça dos homens que destroem o mundo, que afrontam sua grande obra – respondeu Bloom com um olhar penetrante.

Ao ouvir a explicação do cardeal, uma pequena luz resplandeceu na minha cabeça. Aquilo fazia sentido. Era diferente de tudo o que eu havia ouvido. Antes, escutara de algumas pessoas que Deus era severo e nos castigava pelos pecados. De outras, que Deus era Amor e não podia nos deixar sofrer. Nenhuma das duas explicações tinha sentido para mim. O que ouvira dos lábios de Bloom era inteligente: um Deus de equilíbrio.

Depois de tomar um chá com Bloom, dei-me por satisfeito e parti para casa. Precisava pensar no que ouvira antes de ir até frei James no outro dia. Com certeza meu amigo boxeador teria outra visão do Criador, já que vivera experiências distintas.

CAPÍTULO XIV

James

Nascido em uma região pobre de Boston, segregada pelo racismo, James buscou a sorte trabalhando como ajudante em construções. Como era um adolescente muito robusto, conseguia carregar todo tipo de material pesado. Não se cansava como os outros rapazes e, assim, trabalhava mais tempo, ganhando um bom salário.

Um dia, saindo do canteiro de obras, após um longo dia de trabalho, James foi cercado por uma gangue de rua no bairro em que morava. Os delinquentes exigiram que ele entregasse toda a quantia que havia recebido naquele dia. Isso enfureceu o gigante. Em segundos, o pedreiro nocauteou os três marginais, causando-lhes graves ferimentos, que só não foram piores porque um branco já idoso o interrompeu.

– Já está bom, garoto. Chega. Esses vagabundos não merecem mais sua atenção, confie no que lhe digo.

– Aqui não é lugar para branco ficar passeando. Esse assunto aqui é da comunidade, não me diga o que fazer.

– Além de boa direita, o garoto tem atitude também!

Como o homem não arredou pé e também não se intimidou com a resposta, James ficou intrigado.

– Olha, grandalhão, me procure amanhã às seis e meia da manhã neste endereço. Não se atrase, pois sou um homem muito ocupado. O que você faz da vida? – quis saber o velho, entregando um cartão a James.

– Sou pedreiro, senhor. Estes marginais queriam levar tudo o que ganhei com meu trabalho. Mereciam coisa pior do que fiz com eles – disse o jovem, pegando o cartão, desconfiado.

– Você é que merece coisa bem melhor do que a vida lhe deu. Venha me ver. Não se atrase, entendeu?

O velho deu um tapa no ombro de James e partiu, continuando seu caminho com toda a tranquilidade.

– Sim, senhor – balbuciou o garoto.

James morava com a mãe. Seu pai fora assassinado quando ele tinha 3 anos. A irmã mais velha, depois de casada, fora viver no Panamá. Naquela noite, o gigante entrou em casa como se nada de diferente tivesse acontecido. Tomou banho e sentou-se à mesa para comer.

No dia seguinte, às seis horas, estava em pé do lado de fora de um grande ginásio, em uma área pobre da cidade de Boston. Não ousou entrar, pois não sabia se negros eram bem-vindos no local. Ficou parado lá por dez minutos e, por fim, decidiu voltar para casa. Ao se virar, deu de cara com o velhote que lhe dera o cartão.

– Aonde pensa que vai, grandão? – questionou o homem, segurando seu braço.

– Bom dia, senhor. Acho que este lugar não é para mim.

– Já vi que você gosta de falar do que não conhece. Quanta besteira!

James não gostou do que ouviu.

– Ah, ficou irritado comigo? – indagou o idoso. – Muito bem, guarde a raiva para mais tarde, vai precisar dela para ficar em pé, garoto. Então, está com medo? Vai embora ou vai entrar comigo?

James não podia recusar um desafio daquele, então entrou.

Era um ginásio amplo, com dois ringues de boxe e muitos aparelhos para musculação, além de sacos de pancada. O vestiário era imenso. Pela primeira vez na vida, James viu brancos e negros convivendo em harmonia. Apesar de trocarem socos, todos pareciam se conhecer. Aquilo causou um impacto em seu coração.

– O senhor não está infringindo a lei? – perguntou James, desconfiado.

– Estou? De que forma? – divertiu-se o homem.

– Este lugar é para brancos ou para negros?

James sabia que sua mãe não queria que ele se envolvesse em confusão com os brancos.

– Não entendo o que você está falando. Eu não diferencio negros de brancos.

O velho continuava sorridente, observando a atitude do rapaz.

– Mas Deus criou os homens brancos e os homens negros. Somos diferentes, não consegue ver?

Essa era a realidade na qual James fora criado. Não conseguia imaginar um mundo diferente, onde todos fossem tratados do mesmo modo.

– Não. Consigo enxergar grandes atletas, bons lutadores e ótimos seres humanos. Não me importo com a cor da pele de ninguém, isso não faz a menor diferença. Você se incomoda em encontrar brancos aqui?

– Não, senhor, claro que não!

E era verdade. O patrão de James era um branco que lhe pagava muito bem e o deixava trabalhar em paz. Nos seus vinte anos de vida, nenhum branco o havia maltratado, mas ele ouvia histórias horríveis, contadas por pessoas de seu bairro.

– Ótimo. Trouxe este pacote para você, espero que sirva. Está vendo aquela porta cinza? Vá até lá. É o vestiário. Troque de roupa. Estarei esperando por você bem ali. Outra coisa: pare de me chamar de senhor. Meu nome é Greg, entendeu?

– Entendi, senhor, quero dizer, Greg – disse James, pegando o embrulho.

James vestiu o calção preto e a camiseta branca, onde estava escrito Greg Gym. Então se deu conta de que o homem era dono de tudo aquilo. Devia ser muito rico. O que poderia querer com um garoto negro e pobre que só sabia carregar pedras?

– Ficou muito bom! Está até parecendo com meus meninos, não acha?

James deu uma olhada para os atletas. Todos pareciam muito concentrados. Eram, sem sombra de dúvida, muito destemidos também. Não, ele não tinha a menor semelhança com eles.

– Agora, meu rapaz, lembra-se do que eu disse? Guardar sua raiva para um momento posterior?

– Sim, mas agora não estou mais sentindo raiva, Greg.

– Tudo bem, não se preocupe. Ontem, durante a briga que teve com os marginais do seu bairro, deu para notar que você bate muito forte. Gostaria de testar sua força com homens de verdade, garoto?

– Greg, me chame de James, por favor.

– Está com medo, James? Eles são grandes como você. Tem medo de se machucar? Pode ficar tranquilo que não deixarei isso acontecer.

A conversa de Greg inflamou James. Ele não era medroso como o homem estava sugerindo, muito pelo contrário. Desde criança se virava sozinho diante das adversidades, pois não tinha ninguém para defendê-lo. Aprendera a lutar nas ruas do bairro, por necessidade. Não se lembrava de ter apanhado de ninguém.

– Onde estão as luvas, Greg? Estou pronto – disse James, esticando os braços.

Com um sorriso, Greg calçou as luvas no gigante e o encaminhou ao ringue principal. Chamou um dos grandalhões que treinavam no local e disse que o rapaz novo se chamava James. Estava ali para um teste. Queria ver uma luta solta, com variedade de golpes e intensidade média, para saber se o novato tinha condições de boxear.

Soou o gongo e o atleta circulava com rapidez ao redor de James, que, parado no meio do ringue, parecia pouco à vontade com as enormes luvas. O homem acertou diversos *jabs* na cara de James e um deles pegou em cheio seu olho esquerdo. Aquilo o irritou profundamente. Nunca ninguém o havia atingido tantas vezes sem receber o troco.

Depois de suportar diversos golpes, o gigante partiu com vigor para cima do adversário. O homem tentava acertá-lo o máximo possível, andando em círculos para fugir de seu contra-ataque. James observou a movimentação do boxeador e, surpreendentemente, lançou um violento gancho de esquerda que o acertou na têmpora direita. O adversário desabou.

Greg invadiu o ringue na hora, acompanhado de dois homens que seguraram os braços de James, pedindo calma ao gigante. Greg se agachou para ver se o lutador estava acordado. Nada. O homem tinha apagado. Jogaram um pouco de água na cabeça do sujeito, que acordou assustado, sem saber onde estava. O sorriso de Greg mal cabia no rosto.

– Vá se trocar no vestiário, James. Quero conversar com você naquela sala ali. É o meu escritório. Estou esperando, vá logo!

James tomou uma chuveirada para se acalmar. Vestiu a roupa e saiu em direção ao escritório de Greg. No meio do caminho, foi interceptado pelo homem que acabara de nocautear.

– Onde aprendeu a lutar desse jeito?

– Não sei. Apenas uso aquilo que aprendi nas ruas.

– Você tem a mão mais pesada que já senti, e olha que luto há dez anos! – disse o homem, coçando a testa.

– Não queria machucar você, me desculpe – falou James, sem jeito.

– Não machucou! Ruim mesmo foi apanhar de um novato diante dos meus amigos. Mas gostaria de vê-los suportando um golpe seu, seria muito divertido.

O lutador não estava nem um pouco bravo, parecia se divertir com o que tinha acabado de acontecer. Apertou a mão de James e disse que esperava vê-lo no dia seguinte para mais um treino.

Quando James entrou na sala, Greg estava em pé perto de uma janela, exibindo um sorriso vitorioso.

– Tenho olho clínico, garoto. Ninguém descobre talentos como eu, sabia? – soltou Greg, cheio de si.

James preferiu não comentar nada.

– Tenho aqui um contrato para você assinar. A partir de hoje, você não é mais pedreiro. É meu atleta e será, futuramente, meu campeão.

Greg estendeu uns papéis para James.

– Mas eu ganho bem nas obras. Não sei se vale a pena largar tudo para ser boxeador profissional, Greg.

O homem deu uma bela gargalhada.

– Aprenda uma coisa, garoto: antes de falar besteira, pense.

– Não disse besteira, Greg. Apenas não acho que esse negócio de boxe seja bom para mim.

– Olhe o número que está escrito aqui. Isto é quanto vai ganhar para fazer as lutas comigo, entendeu?

Os olhos de James se arregalaram ao ver a cifra. Não ganharia aquilo nem em dez anos de trabalho nas obras. Era a chance de comprar uma casa para a mãe e ter uma vida melhor.

– Onde assino, Greg? – perguntou o gigante, pegando uma caneta da mesa.

Sua carreira como boxeador começou muito bem. Foram quatro vitórias seguidas naquele ano. Todas por nocaute. Nenhuma de suas lutas passou do quarto assalto. Os jornais locais começaram a lhe dar destaque. O ginásio de Greg passou a ser visitado pela imprensa nas noites de luta promovidas na cidade. Todos queriam saber quem era aquele menino negro. "James, o Trovão Negro", respondia Greg, todo orgulhoso.

O golpe fulminante de esquerda, frequentemente desferido por James, fez com que sua fama se alastrasse por todo o país. Era convidado para participar dos mais diversos eventos. Havia se tornado uma celebridade aos 23 anos, antes mesmo de sustentar algum título oficial de boxe.

Em três anos de carreira, o Trovão Negro conquistou vários títulos, incluindo o de campeão americano na categoria de pesos pesados, pela Federação Americana de Boxe. Mudou-se com a mãe para um bairro melhor e percebeu que a "alta sociedade branca" os tratava com respeito, tudo por conta de sua ascensão meteórica no mundo das lutas. Mas isso teve um preço. James começou a ser assediado por muita coisa que não prestava.

Logo depois de alcançar o estrelato, sua mãe, diabética, apresentou várias complicações em decorrência da doença. Por causa disso, James perdeu um pouco o rumo. Greg tentou colocar juízo na cabeça do rapaz, mas não teve muito êxito. O Trovão Negro começou a faltar a alguns treinos e, em outros, chegava com enorme atraso. Sua usual docilidade estava dando espaço a uma agressividade amarga.

Quando a mãe de James faleceu, a situação piorou muito. Ele começou a consumir drogas e álcool. Greg percebeu e o confrontou, sem sucesso. Pediu ao gigante que procurasse uma clínica para tratamento, que se afastasse durante um tempo de todos os problemas, para que se recuperasse. Foi em vão. James avançava a passos largos em direção a um enorme buraco negro.

Surgiu uma oportunidade de lutar pelo cinturão de campeão das Américas, na categoria dos pesos pesados da Associação Mundial de Boxe. Greg achou que o pupilo não estava preparado, pois sua cabeça estava em um turbilhão. James insistiu em participar, afirmando que venceria como sempre. Greg pediu que a luta fosse cancelada. O Trovão Negro ficou furioso e o ameaçou, dizendo que, se não o apoiasse, contrataria outro empresário.

Na véspera da luta, a noitada foi insaciável, com direito a mulheres, drogas e muita bebida. James passou mal e foi levado para casa por algumas das garotas contratadas para alegrar a festa. Jogou-se na cama com a roupa suja de vômito, fedendo a álcool. Adormeceu de sapatos, com a cara enterrada no travesseiro e as janelas abertas.

Durante o sono turbulento, sonhou com uma mulher negra. Ela usava uma vestimenta africana e um turbante, ambos pretos. Sorria para ele, dizendo que existia uma saída para todo o seu sofrimento. James acordou todo suado de madrugada, procurando a mulher misteriosa. Não encontrou ninguém no quarto, muito menos sua carteira, que provavelmente havia sido surrupiada pelas mulheres com quem estivera.

O dia amanheceu e sua cabeça parecia explodir. Ele sabia que precisaria de toda a força do mundo para subir no ringue. Enfrentaria um lutador muito experiente. Não podia sequer pensar em perder o cinturão. Era o título de campeão das Américas que estava em jogo.

Greg o esperava na porta de casa, às seis da noite.

– Campeão, temos que chegar logo no Centro de Convenções para o aquecimento. Mas que cara é essa?! – perguntou o velho, assustado.

– Nada de mais, Greg. Minha noite não foi das melhores.

– Não me diga que foi para a farra na véspera da disputa do cinturão? É muita irresponsabilidade, James. Inacreditável! – A cara de desgosto de Greg dizia tudo.

– Não venha me dar sermão, Greg. Não sou criança e tenho todo o direito de me divertir. Sou um campeão!

– Sua atitude não é de um campeão, mas de um moleque. Isso me entristece demais, garoto. Espero que tenha energia suficiente para suportar os golpes fortes que vai receber logo mais. Vamos, entre logo no carro.

Enquanto James se aquecia no vestiário, sua respiração ficou excessivamente ofegante. Sua cabeça começou a rodar. Ele se apoiou na parede mais próxima e vomitou no banco de madeira. Greg molhou uma toalha e jogou sobre sua cabeça, tentando carregá-lo para o assento mais próximo. O Trovão Negro não conseguia entender as palavras que saíam da boca do homem. Pareciam muito distantes.

Como seu estado deplorável não melhorava, Greg o colocou deitado no chão. Espalhou gelo pelo peitoral e pela cabeça. Depois de meia hora, James melhorou e conseguiu se levantar. Disse que estava bem novamente e que não desistiria de lutar. Queria disputar o título de qualquer jeito, ninguém poderia roubar dele aquela glória.

A luta começou com James extremamente lento. Os torcedores não sabiam o que se passava; pensavam se tratar de alguma estratégia nova do gigante. Os comentaristas esportivos estranharam a forma atrapalhada com que o temível Trovão Negro se movimentava. Por pouco a luta não terminou no primeiro assalto.

Quando o gigante se sentou no banco, durante o intervalo para o terceiro round, Greg percebeu que o olhar de James estava distante. Ele balançava a cabeça fingindo escutar as instruções, mas, no fundo, não assimilava nada. Preocupado com a saúde do pupilo, o treinador decidiu que jogaria a toalha, encerrando o combate. James se recusou a aceitar e voltou para a luta.

Com quinze segundos de combate, um cruzado de direita acertou em cheio o queixo de James, mandando seu corpanzil para a lona. Sua cabeça quicou e os olhos se fecharam. Para espanto da torcida, o Trovão Negro estava inconsciente diante do adversário, que comemorava de braços erguidos. Greg invadiu o ringue desesperado. Pensou que James estivesse morto.

Os médicos o cercaram. As câmeras de TV também. Uma enorme confusão se formou ao redor do corpo estendido. James não despertava do nocaute. Providenciaram, então, uma maca para retirá-lo de lá. Com muita dificuldade, os homens o carregaram para o vestiário. Ele continuava desacordado.

O médico sugeriu que o levassem imediatamente para o hospital mais próximo. James foi colocado em um leito, recebeu medicamentos e oxigênio. Depois de um bom tempo, recobrou a consciência. Lá estava Greg, com os olhos marejados pelo choro incontido.

– Graças a Deus! Pensei que você fosse morrer, seu irresponsável! – grunhiu o velho.

– Greg, onde estou?

– Seu idiota! Está internado em estado grave.

– Quero ir para casa agora, Greg. Por favor – disse o gigante, tentando erguer o corpo da cama.

– Quem decide se você pode ir embora não sou eu, James. É o médico. Aliás, duvido que ele queira liberar um drogado irresponsável como você.

– Você contou que uso drogas? Seu traidor!

– Não contei nada. Ele colheu amostras de sangue para os exames e encontrou traços de substâncias tóxicas, seu irresponsável ignorante! – brigou Greg, elevando cada vez mais a voz.

James passou a noite no hospital. Enquanto dormia, sonhou de novo com a mulher negra. Dessa vez ela mostrava um medalhão de prata estampado com a face de Cristo. Sorrindo, dizia que havia uma saída para tudo aquilo, que já a tinha experimentado em sua vida. Contou ao gigante que havia sido uma escrava no Sudão, mas que fora libertada por um homem branco, italiano. Terminou questionando o que James havia feito com sua liberdade.

No dia seguinte, quando o médico o visitou em seu leito, James perguntou se alguma mulher negra havia estado lá na noite anterior. Ele negou e falou que só um senhor chamado Greg tinha passado por lá. O Trovão Negro pensou, então, que tudo aquilo era efeito das drogas. Naquele momento, decidiu abandonar de vez os vícios.

Com medo da morte, James pediu que um padre viesse vê-lo. O médico lhe informou que havia um sacerdote capelão no hospital, que estaria disponível naquela tarde.

– Meu filho, como está se sentindo? – questionou o padre ao chegar.

– Padre, não estou muito bem da cabeça. Nem sei se vou conseguir sobreviver.

– Claro que vai. Tenha fé.

– Não sei se algum dia tive fé.

– Você foi batizado?

– Sim, senhor. Também fiz a primeira comunhão.

– Muito bem. Posso lhe dar a unção dos enfermos se quiser.

– Padre, isso é para quem está moribundo, não é?

– Não, meu filho. É para quem está doente, como você. É um sacramento de cura – disse o sacerdote, com um sorriso.

– Então eu quero.

Naquela tarde, James se confessou depois de muitos anos e recebeu a comunhão. O sacerdote o ungiu com óleo e fez uma bela oração para sua cura. No final, o gigante decidiu contar sobre os sonhos que tivera recentemente.

– Padre, tenho sonhado com uma mulher negra. É africana, do Sudão. Se bem que, pelo que sei, as africanas usam roupas coloridas e esta só usa roupa preta.

– Essa mulher o assusta?

– Não sei dizer. O mais curioso é que ela carrega no pescoço um medalhão de Cristo. Não sei por que minha mente está criando essas coisas. Nunca fui religioso. Nunca tive contato com nenhuma mulher que tivesse vindo da África.

– Pela descrição que me deu, eu arriscaria dizer que se trata de uma santa mulher católica.

– Pelo amor de Deus, padre, nunca ouvi falar em santa negra. Não brinque com essas coisas. Só os brancos recebem esses títulos do Vaticano.

– Ela ainda não foi formalmente declarada beata e santa pelo Vaticano. Mas todos que a conheceram, como eu, sabem que isso acontecerá um dia.

– O senhor a conheceu mesmo?

– Sim. Era exatamente como você descreveu: uma africana do Sudão que foi morar na Itália. Seu nome era Josefina Bakhita. Quando eu era mais jovem, estive com ela na Itália, no convento de Schio, na região do Vêneto.

James estava perplexo: a mulher misteriosa existia.

– Ela havia sido comprada no Sudão por um cônsul italiano, Calixto Legnani, que a levou para trabalhar em sua casa. Dessa forma, Josefina passou a ser tratada humanamente. Um dia, o homem precisou retornar à Itália e Bakhita pediu que a levasse junto. Foi atendida.

– Esse homem branco lhe deu liberdade?

– Vou lhe contar. Ao chegar em Gênova, o Sr. Legnani, pressionado pelos pedidos da esposa de um amigo, o Sr. Michieli, concordou que Bakhita fosse trabalhar com esse casal. Josefina, então, mudou-se para Veneza. Logo depois eles tiveram uma filha e Bakhita se tornou sua babá. A vida de Josefina caminhava bem, até que o Sr. Michieli e sua esposa compraram um hotel em Suakin, no mar Vermelho. Decidiram morar lá, para administrar o negócio. Como sua filha ainda era muito pequena e o casal tinha plena confiança em Bakhita, decidiram que as duas ficariam sob os cuidados das irmãs canossianas, do Instituto dos Catecúmenos de Veneza. Foi nesse convento que Bakhita foi batizada e recebeu o nome de Josefina. Quando o casal voltou do mar Vermelho para buscar sua filha, Bakhita pediu para ficar com as freiras. Assim foi feito. Ganhou a liberdade.

– Ela se tornou uma das irmãs canossianas?

– Sim, tornou-se uma das irmãs e passou a dedicar a vida inteiramente a Deus. Eu a conheci em Schio, cidade próxima de Pádua e de Veneza, onde viveu seus últimos anos. Naquela época já tinha fama de santidade. Por isso lhe digo: é uma questão de tempo até que o Vaticano a canonize.

– O que será que uma mulher assim quer comigo? Todas as mulheres que tive até hoje não prestavam, padre.

– Só seu coração pode lhe dizer, rapaz. Pense bem sobre o que deseja de sua vida. Pelo que ouvi na confissão, precisa tomar uma decisão radical e se afastar de tudo o que é mau. Do contrário, não sobreviverá e sua alma se perderá.

– Parece que não vão me dar alta tão cedo por aqui. Assim, tenho tempo suficiente para tomar minha decisão, padre. Muito obrigado por sua oração. Gostaria que voltasse a me visitar.

Assisti a algumas lutas de James reprisadas pela televisão, em canais de esporte. Realmente era um combatente terrível, dono de mãos de aço. Apesar do tamanho, movia-se com muita velocidade. No ringue, era um adversário muito feroz, não desistia com facilidade. Pena que sua carreira terminara daquele modo. Graças ao caminho do sacerdócio, porém, pôde se recuperar das drogas, do álcool e dos traumas de infância e juventude. Tornou-se um homem muito gentil e afável.

Marquei uma conversa com ele para as onze da manhã. Esperava uma resposta para a indagação que meu pai me deixara. O horário antecedia ao almoço dos capuchinhos. Àquela altura, ele já teria participado das orações comunitárias e feito seus exercícios físicos. Estaria de ótimo humor, como de costume.

– Menino, que bom que veio ver este homem velho!

O abraço do gigante massacrou meus ossos.

– Com toda essa força, James, como pode ser um homem velho?

– Sabe muito bem que tenho quase a idade do nosso cardeal!

– Verdade, mas não é tanto assim!

– Vamos entrar. Gostaria de conversar em nosso jardim? Está muito bonito nesta época do ano.

Andamos em direção ao jardim interno do convento capuchinho. Impecável como sempre, estava todo florido. Sentamo-nos em um banco de madeira que, segundo James, fora construído por Bloom quando era frade ali.

– James, estive com o cardeal ontem. Nossa conversa foi muito boa. Devo lhe alertar que se trata de cumprir uma promessa feita ao meu pai pouco antes de sua morte.

– Não se preocupe, estou aqui para servir. Uma promessa feita ao seu pai deve ser cumprida a todo custo. Pode falar.

– Connors me pediu que perguntasse a mesma coisa para o cardeal e para você.

– Sabe muito bem que não tenho o nível intelectual do cardeal, mas, se puder ajudar, estou a seu dispor, Rafael.

Isso era muito curioso. Eu sabia muito bem que o nível intelectual de Bloom não se comparava com o de nenhum outro homem. Sabia que James era um homem dotado de caridade e amor pelo próximo. Era só coração. Por que meu pai queria que eu fizesse aquela pergunta a um homem assim?

– Meu bom amigo James, quem é Deus?

Em vez de rir da pergunta, James ficou olhando fixamente para o gramado. Guardou silêncio durante algum tempo. Só se ouviam os pássaros nas árvores baixas.

Finalmente, disse:

– Essa é uma pergunta que nunca me responderam adequadamente. Creio que também não conseguirei responder, Rafael.

– O mais engraçado é que o cardeal também disse que não poderia respondê-la – contei ao gigante, para encorajá-lo a tentar uma resposta.

– Se Henry, o homem mais inteligente que conheço, não foi capaz de responder, quem sou eu?

– Não sei. Meu pai é que sabe, só que não está mais entre nós.

– Posso lhe dizer o que Deus fez por mim. Talvez, com isso, você tenha uma boa pista.

– Muito bem. Será ótimo.

– Deus me resgatou de um mundo de podridão e escravidão, dando-me uma nova vida, cheia de amor e perdão. A Ele devo tudo que sou. Para mim, então, Deus é perdão e gratidão.

– Sua resposta é muito bonita, James. Brota do seu bom coração.

– Sei que o que Deus fez por mim vai fazer também por você, Rafael, porque o amor dele não tem fim.

– Não creio que serei sacerdote, James.

– Não é isso. Claro que você não tem vocação para o sacerdócio. Sua vocação é o casamento. – Como ri alto, ele perguntou: – Não acredita em mim?

– Não acredito na instituição do casamento, meu amigo. Prefiro terminar meus dias sozinho.

– Viu como seu pai foi feliz casado?

– Sim, mas o que ele e minha mãe tiveram eu não vejo há muito tempo neste mundo em que vivemos. James, casamento não é para mim.

CAPÍTULO XV

Gabriela

Coloquei a casa de Boston à venda no mês seguinte. Tinha tudo planejado para dar continuidade à minha vida. Decidi morar no Rio de Janeiro, no meu apartamento de Botafogo. Reabriria meu consultório e retomaria o atendimento no hospital público. Queria ficar longe dos Estados Unidos, pois a lembrança de meu pai me devorava o coração. Além disso, não havia mais necessidade de permanecer por lá e já havia cumprido parcialmente seu desejo. Havia, ainda, a questão de Medjugorje, de que eu poderia cuidar depois – não precisava estar na terra de Connors para resolvê-la.

Minha rotina voltou ao normal. Em um belo domingo, caminhava distraído pelo Aterro do Flamengo, admirando o Pão de Açúcar, quando quase trombei com uma moça morena. Ao me esquivar, perdi o equilíbrio e fui parar nas pedras perto do mar. Ela ficou preocupada e abriu um reluzente sorriso, pedindo desculpas. Fiquei sem jeito e disse que era minha culpa. Limpei a bermuda e retomei meu caminho.

Na segunda-feira, chegando ao consultório, minha secretária informou que eu atenderia uma paciente nova. Tinha sido indicada por um neurologista que havia adoecido gravemente e, infelizmente, falecera. Quando ela entrou, levei um susto: era a morena da praia!

– Bom dia, Dr. Rafael!

– Bom dia, como vai a senhora? – perguntei, desconcertado.

– Não sou tão velha assim para ser tratada por senhora – respondeu, sentando-se à minha frente.

– Acho que já nos conhecemos.

– Sim, em circunstância bem interessante! Pelo que vejo, não se machucou muito.

– Não, nem um pouco. Só o meu orgulho ficou ferido.

Nós demos uma risada.

– Dr. Rafael, estou aqui porque meu antigo médico, Dr. Ricardo, faleceu. Preciso de alguém que acompanhe a minha doença. Trouxe todos os meus exames.

Ela os colocou sobre a mesa.

Verifiquei tudo por alguns instantes. Fiquei impressionado! Como ela conseguia estar tão bem diante de um quadro tão grave?

– Gabriela, vejo que seu tumor retrocedeu. É incrível, pois não encontro uma explicação médica para o fato.

– Dizem que ocorreu um milagre.

– Não gosto muito da palavra, mas entendo o que quer dizer. Você me procurou para um acompanhamento ou sentiu alguma piora no seu estado? Sente dores?

– Infelizmente, nas últimas semanas tenho sentido fortes dores de cabeça e tonturas. Como o senhor pôde observar, venho fazendo exames de quatro em quatro meses. Não sei o que está acontecendo comigo.

– Então está na hora de fazermos todos os exames de novo. É preciso saber como se encontra o tumor para tomar uma providência, se necessário. E, por favor, não me chame de senhor, não tenho tanta idade assim.

Ela riu.

– Dr. Rafael, gostaria que tudo fosse feito o mais rápido possível, pois vou me ausentar do país por duas semanas a partir do mês que vem.

– Eu ia mesmo sugerir que você fizesse os exames imediatamente, já que tem sentido dores de cabeça e tonturas.

Comecei a prescrevê-los e notei que ela estava bem nervosa com sua situação. Não quis dizer nada de conclusivo a respeito de seu estado de saúde, pois não gostava de falar aos meus pacientes sobre coisas graves sem um embasamento sólido.

Ao final da consulta, ela foi muito simpática. Ficou de retornar em duas semanas com os resultados para chegarmos a uma conclusão de como enfrentar o estágio atual da doença. Pedi que ficasse tranquila, pois todas as providências estavam sendo tomadas e não havia nada que pudesse ser feito além daquilo.

No fim de semana seguinte, resolvi ir à praia no Recreio dos Bandeirantes. Levei o jornal do dia. Sob meu guarda-sol, sentado numa cadeira de alumínio, comecei a folheá-lo. Deparei-me com uma reportagem de turismo sobre peregrinações religiosas. Imediatamente aquilo chamou minha atenção. A lembrança do último desejo de meu pai veio forte em minha mente. Logo no terceiro parágrafo, meus olhos localizaram a palavra que estava adormecida havia algum tempo em minha memória: "Medjugorje".

Devorei o texto. No pé da página, havia uma série de anúncios de empresas de turismo que faziam aquela rota. Separei a parte que continha os números de telefone e guardei no bolso da bermuda. Assim que possível, procuraria me inteirar dos preços e dos períodos das viagens.

Uma semana depois, fui até uma das agências. Quem me recebeu foi um homem alto, gordo e simpático chamado Miguel. Disse ser um profundo conhecedor de Medjugorje. Ele me perguntou como sua empresa de turismo havia chegado ao meu conhecimento. Contei-lhe sobre o anúncio do jornal de domingo. Ele ficou todo satisfeito.

Como o período da viagem coincidia com as minhas férias, resolvi dar uma chance a Deus. Na verdade, não propriamente ao Criador, mas a meu pai. Connors merecia pelo menos uma tentativa de minha parte. No mínimo eu estaria cumprindo seu desejo derradeiro:

conhecer a terra da Rainha da Paz. Isso faria com que meu coração ficasse muito mais leve.

Dias depois, Gabriela voltou ao meu consultório com os novos exames. O quadro não era promissor: o tumor havia crescido e ocupado uma área do cérebro que ainda não fora atingida. Por outro lado, ela me relatou que as dores de cabeça tinham desaparecido por completo. Havia dias não sentia nenhuma tontura. Assim, decidi liberá-la para viajar e só depois eu pediria mais alguns exames, para tomarmos alguma medida mais incisiva. De qualquer modo, eu sairia de férias no mesmo período para cumprir minha missão.

Os dias passaram sem que eu percebesse. Quando cheguei ao aeroporto, ao seguir para a área de embarque, tive uma agradável surpresa. Em meio ao numeroso grupo que faria a peregrinação estava minha bela paciente: Gabriela. De cabelos soltos, vestida de forma simples, com calças jeans e tênis, assim que me avistou abriu seu sorriso reluzente. Senti minhas bochechas se aquecerem. Olhei-a nos olhos, mas só consegui sorrir de volta.

– Já se conhecem? – perguntou Miguel em voz alta.

– Sim, nos conhecemos – respondi.

– Miguel, o Dr. Rafael é meu neurologista. Ele está cuidando do tumor em meu cérebro. Você conhece bem a história.

– Que coincidência maravilhosa, Gabriela!

– Por favor, não tem cabimento você me tratar por doutor aqui. Afinal, somos colegas de excursão.

– Está bem... Rafael.

– Fico muito feliz em saber que gente mais jovem também está se interessando pelas minhas peregrinações. Antigamente, Rafael, eu só levava grupos com pessoas acima dos 70 anos!

Todos nós rimos.

– Gabriela, que bom que encontrou uma companhia da sua idade. Sei que é muito desagradável viajar com gente velha! – brincou Miguel.

– Claro que não! Na outra viagem eu era a mais jovem do grupo e fui muito paparicada. Adorei.

— Eu sei, estou brincando. Minhas meninas são senhoras muito bem-humoradas. Mas provavelmente nosso doutor aqui será uma companhia muito mais agradável.

Miguel lançou o comentário no ar com uma leve malícia. Senti-me corar. Ela sorriu para mim.

— Bem, vou olhar minhas moças mais antigas para ver se está tudo bem. Não sumam de vista, está quase na hora do nosso embarque, entenderam?

Miguel se afastou para reunir as senhoras do grupo.

— Já que sabe minha profissão, estou em desvantagem. Gostaria de saber a sua, Gabriela.

— Sou psicóloga. Atendo aqui no Rio de Janeiro mesmo. E você, sempre morou aqui?

— Nasci aqui no Rio de Janeiro, mas meu pai era americano. Então, além de carioca, sou de Boston.

— Que interessante! Mas preferiu ficar por aqui?

— Sim, depois que meu pai morreu, decidi que era melhor viver na terra natal de minha mãe.

— Ela está viva?

— Não, infelizmente ela faleceu quando eu era pequeno.

— Sinto muito. Eu também perdi meus pais. E, como não tenho irmãos, sou sozinha no mundo.

Outra vez surgiu o belo sorriso.

— Somos. Eu também sou filho único.

Sorri, um pouco sem jeito.

Embarcamos rumo a Roma. Para minha tristeza, durante o voo fiquei em um assento distante de Gabriela. Na primeira noite na capital italiana, nosso guia providenciou um jantar típico em um restaurante para todos do grupo. Foi uma bela festa. Miguel deu um jeitinho de me colocar na mesma mesa de Gabriela, bem ao seu lado.

— Desculpe tocar nesse assunto aqui, mas tem algo que eu gostaria de lhe perguntar. Por que, na primeira consulta que tivemos, você se referiu à diminuição do tamanho de seu tumor como um milagre, Gabriela?

– Na verdade não foi só a questão do tumor que se tornou um milagre para mim, mas toda a forma como minha vida se transformou depois que ele apareceu e, então, precisei dar uma oportunidade a Deus.

– Então o tumor foi uma espécie de marco histórico?

Eu me virei para fitá-la direto nos olhos.

– Claro que não me tornei religiosa só por causa do tumor. Minha vida era toda organizada, até que tudo começou a dar errado. Primeiro, meu pai, que era meu grande amigo, morreu de câncer. Depois foi a vez da minha mãe, também gravemente enferma. Nesse meio-tempo, meu casamento, que parecia caminhar bem, simplesmente acabou. Por fim, adoeci. Então penso que a minha religiosidade decorre de uma série de fatores.

Aí estava uma informação valiosa: ela fora casada. Estaria ainda solteira?

– Mas imagino que uma mulher como você tenha reconstruído a vida. Se não toda, pelo menos a afetiva.

Ela me olhou, curiosa.

– Caso esteja me perguntando se tenho alguém, a resposta é negativa.

Seus olhos negros brilharam. Fiquei desconcertado.

– Perdão. Não quis ser mal-educado. Voltando ao assunto, você disse que sua vida ficou muito complicada. Não deve ter sido nada fácil enfrentar todos esses reveses sozinha.

– Não foi mesmo. A sorte é que encontrei duas pessoas iluminadas pelo caminho. Dois homens.

– Parentes ou amigos?

Ela achou graça da minha pergunta e passou a mão pelo cabelo preto devagar.

– Amigos enviados por Deus.

Era interessante ver uma mulher jovem e bonita falando de Deus como se fosse frei James.

– Estão aqui no grupo?

– Infelizmente, não. Um está aqui, em Roma. Fui visitá-lo hoje à tarde. Chama-se frei Antônio. O outro também é padre e mora na zona oeste do Rio de Janeiro. Seu nome é José.

Que alívio senti. Ambos eram sacerdotes. Não havia nenhuma concorrência.

– Você disse que sua religiosidade é recente, mas tinha amizades dentro da Igreja Católica?

– Não! Detestava qualquer religião. Era muito racional, acreditava só nas coisas da mente humana e na ciência. Isso perdurou até perder meus pais e adoecer. Aí tudo começou a mudar. Mesmo com todo o nosso conhecimento, percebi que não há como evitar os mais diversos acontecimentos. Nesse período os dois amigos sacerdotes apareceram.

– Mas, antes de todas essas provações, você acreditava em Deus? – perguntei, pensando em minha própria trajetória.

– Para mim, havia uma força superior que não estava preocupada com nossa existência. Depois, passei a crer que Deus existia da forma como pregavam na Igreja. Mas, diante de tanta desgraça na minha vida, pensei que Ele não me amava e que, ao seu bel-prazer, me castigava. Gostava de ver o sofrimento humano.

– Um ser maligno.

– Isso. Achava perfeita a letra daquela música do John Lennon, *God* – disse ela, para meu espanto.

– "Deus é um conceito, no qual medimos nossa dor." Que coincidência! Por várias vezes cheguei a pensar que o ex-beatle tinha razão.

– Eu tinha o álbum em casa, *John Lennon/Plastic Ono Band*, de 1970. Assim acabo entregando minha idade.

Ela riu.

– Lennon afirmava, ainda, que não acreditava na Bíblia nem em Jesus, só nele mesmo!

Nós dois demos uma gargalhada pela pretensão do compositor.

– Como todos nós em nossa caminhada, talvez ele tenha mudado com a idade – sugeriu ela.

– Pode ser. Muitas vezes ficamos descrentes. Em outras, somos capazes de acreditar no inusitado. O fato é que mudamos de opinião constantemente, o que me parece importante. Um sinal de inteligência!

– Cheguei a um ponto da minha vida onde só relacionava Deus com a dor. Por isso citei John Lennon.

– Compreendo. Eu, ao contrário, nunca dei muita atenção a Deus – falei com sinceridade. – Acho que minha atitude tem a ver com a morte da minha mãe. Como as pessoas rezavam muito por ela, cheguei, por um breve momento, a acreditar que Deus poderia fazer um milagre e curá-la do câncer. Mas nada aconteceu e fiquei muito decepcionado.

– Também vivi uma situação parecida. Observava as reuniões de um grupo de oração da minha mãe lá em casa. Rezavam pedindo a cura do meu pai. Acreditavam que ele ficaria bom. Até diziam isso para quem quisesse ouvir. Infelizmente, nada aconteceu e eu fiquei com a minha velha opinião sobre Deus.

– Nossa história é parecida. A diferença é que você vivenciou, ou melhor, vivencia uma doença grave. Penso que essa é a razão pela qual mudou de opinião a respeito de Deus e hoje acredita piamente nele.

– Sim. Acredito em Deus com todo o meu coração – disse ela com firmeza. – Os dois homens de quem falei me apresentaram um Deus diferente. Quando viram todo o meu sofrimento, sugeriram que eu desse uma chance à fé. Insistiram para que eu buscasse refúgio na Virgem Maria.

– Meus pais eram muito devotos de Maria Santíssima – revelei.

– Eu não tinha nenhuma ligação com Nossa Senhora. Mas, àquela altura da vida, pouca coisa me restava senão acreditar. Participei de uma excursão do Miguel, que seguiu para o Santuário de Lourdes, na França.

Já ouvira falar do lugar. Meu pai gostava muito de lá. Era uma das belas lembranças que ele guardava, pois estivera lá com minha mãe, pouco depois de sua cura, para agradecerem à Virgem Maria.

– Quando pisei no santuário pela primeira vez, senti a presença forte de um anjo. Uma sensação maravilhosa. Aquilo me deu confiança. Passei a crer na minha cura e decidi prosseguir em minha busca espiritual.

– Sua intenção, com a visita ao santuário, era conseguir um milagre por intermédio de Nossa Senhora de Lourdes? – perguntei.

– Sim, eu queria viver. Mas não aquela vida passada, pequena. Desejava uma vida intensa, na qual o mundo espiritual tivesse participação. Queria dar atenção ao meu corpo, minha mente, meu coração e meu espírito, coisa que nunca havia feito antes. Lá no santuário, pedi a Deus uma segunda chance na Terra.

Quando ela contou isso, lembrei-me da história do rei visitado por Isaías, que meu pai havia me contado na infância.

– Durante o tempo em que estive no santuário, recebi vários sinais da existência de Deus. Percebi que Nossa Senhora estava do meu lado. Senti que ela queria me ajudar. Só dependia de mim, quero dizer, da minha fé.

– Você não teve medo do fracasso? De tudo não passar de um efeito psicológico? – indaguei, preocupado com o tamanho do tumor que crescia na sua cabeça.

– Sim. Tive muito medo. Pensei muito se deveria me embrenhar naquela aventura. No final, como nada mais restava, não tinha nada a perder. Foi maravilhoso.

– E agora? Sua fé continua bem? Em vez de o tumor desaparecer, ele retornou...

– Pergunta de médico? – perguntou ela, em tom brincalhão.

– Também.

– Prefiro crer que, depois de ter me banhado nas águas do Santuário de Lourdes, tudo mudou definitivamente. Minha fé continua forte e tem me sustentado. Já não estou mais sentindo as dores de cabeça e a tontura. Mas não sou louca. No meu coração ainda existe um pouco de medo do que vai me acontecer.

– Você chegou a pensar que tinha ficado totalmente curada?

– Sim.

– Com os novos exames, não está decepcionada com Deus?

– Não. Penso que Ele me ama muito.

– Gabriela, não compreendo. Você chegou a achar que havia obtido uma cura milagrosa. Contudo, o tumor voltou a crescer, causando dor, tanto que veio me procurar. Mesmo com tudo isso, continua a achar que Deus é bom e que a ama?

– Pois é, Rafael.

– Incrível. Tenho muita dificuldade em entender o que se passa em sua cabeça.

– Em primeiro lugar, ninguém havia me dito que eu estava curada do tumor. Mas meu coração e minha mente estavam totalmente recuperados dos traumas pelos quais passei. Isso me trouxe grande alívio. Tive a certeza de que, se fosse da vontade de Deus me levar deste mundo, iria em paz.

– Quando você me falou do milagre lá no consultório, pensei que estava se referindo à cura do tumor. Não imaginei que estava falando de suas emoções e reações psicológicas.

– Estava lhe falando que era um milagre eu estar tão bem, considerando o tamanho do tumor. Estou enganada? Você mesmo disse que não havia uma explicação médica para o fato de eu estar tão bem.

Era mesmo um bom argumento.

– Então ainda considera uma possível derrota para a doença?

– Não chamaria de derrota. Deus me deu mais tempo na Terra, cuidou da minha mente e do meu coração. Fez de mim uma mulher nova. Hoje, apesar da doença, vivo em plena paz. É uma sensação maravilhosa!

Eu estava impressionado. Gabriela tinha a exata noção da gravidade da doença, mas isso não lhe tirava a paz. Parecia muito destemida. Não me lembrava de ter visto tamanha autoconfiança – ou, quem sabe, confiança em Deus – desde que meu pai me deixara.

– Rafael, o que você está buscando nesta peregrinação? Sinto que não crê em muita coisa...

– Olha, é uma história complicada. Estou aqui por causa do meu falecido pai.

– Veio agradecer por alguma graça?

– Não. Ele era assim como você. Tinha uma fé inabalável nas coisas de Deus. Antes de morrer, me deixou um envelope com seu último desejo.

– Criativo!

Ela sorriu.

– De fato.

– Nesse último desejo, ele pediu que você fosse a uma peregrinação mariana?

– Não, Gabriela. Pediu que eu fosse até Medjugorje para visitar a Rainha da Paz.

– Então somos dois com o mesmo objetivo. Estou indo à Bósnia para pedir que ela toque novamente em minha cabeça. Que apresente minha causa ao Pai. Quero ficar um pouco mais na Terra para aprender mais algumas coisas sobre a espiritualidade antes de partir definitivamente.

– Gabriela, nunca tive a intenção de ir a um lugar como Medjugorje. É só pelo meu pai mesmo. Se eu quisesse viajar, não seria para a Bósnia – falei de forma antipática.

– Nossa Senhora está usando o pedido do seu pai como desculpa para você ter uma vida nova.

– Se ela realmente quisesse me conquistar, teria sido mais direta comigo.

– As coisas de Deus são sutis, delicadas. Ele nunca arromba a porta do nosso coração, apenas pede delicadamente para entrar. O mesmo acontece com a Virgem.

– Talvez seja tarde demais para mim. Se ela tivesse feito aquilo que pedi quando era apenas um menino, salvando minha mãe do câncer, tudo teria sido diferente. Estou indo à Bósnia exclusivamente em respeito ao meu pai.

– Não deixe que um trauma de infância domine toda a sua vida.

A resposta dela me irritou, mas dominei meu ímpeto. Não queria uma discussão. Além do mais, ela desejava o meu bem, estava empenhada em me mostrar um bom caminho.

– Doutora psicóloga, a questão não é o trauma, mas a falta de fé. Se fosse só pela perda de minha mãe, tudo seria mais simples. Naquele dia em que ela foi enterrada, levou junto minha crença. Nunca mais fui o mesmo. Percebi que muito do que as religiões pregam é crendice.

– Se a sua cabeça funciona desse modo, você está indo para o lugar certo – disse ela, me surpreendendo com sua mansidão.

Gabriela tocou de leve o meu braço, com um sorriso ameno. Não tive outra escolha senão sorrir.

– Não entendi.

– Você está indo ao encontro de Nossa Senhora. É tudo o que ela pede aos que não creem.

– Que coisa mais complicada. Como é que ela pode pedir a quem não acredita nela para ir a uma terra tão distante?

– Ela quer uma chance de provar que a falta de fé não faz sentido. Os santuários ao redor do mundo são lugares de poder. Há uma forte presença dela. A maioria das pessoas acaba por sentir e se emocionar. Você sairá de lá outro homem.

– Queria mesmo era sair daqui.

Segurei a mão dela. Gabriela delicadamente se desvencilhou.

– Conhece bem Roma? – perguntou ela.

– Nada. E você?

– Alguma coisa. Quer ir comigo?

– Tem perigo de nos perdermos?

– Está com medo? – provocou ela.

– Ao contrário. Gostaria muito de me perder em Roma com você!

Seguimos a pé para a Piazza Navona, onde tomamos tartufo, sentados na borda da Fontana dei Quattro Fiumi, fonte que representa os rios Nilo, Ganges, Prata e Danúbio. Fiquei olhando a bela lua cheia sobre a cabeleira negra de Gabriela.

Na praça, muitos artistas se apresentavam, tudo era muito musical. Um deles, com o violino sobre o ombro, veio em nossa direção. Perguntou se éramos casados. Isso divertiu Gabriela. Eu disse que gostaria de uma música para minha bela companheira. O músico perguntou se precisava ser brasileira e respondi que desejava algo que lembrasse, pelo menos de longe, a beleza da minha companhia. Ele nos tocou *La vie en rose*.

Como sempre, ela exibiu seu belo sorriso. Virou a cabeça para mim e disse "Édith Piaf". Sem pensar duas vezes, eu a beijei. Ela retribuiu. Não percebemos quando a música acabou, apenas ouvimos os aplausos de nosso violinista e de alguns artistas próximos do antigo monumento romano. Foi uma noite inesquecível, o início do nosso namoro.

CAPÍTULO XVI

Caminho para Medjugorje

Bem cedo, o pessoal da excursão começou a amontoar as malas no compartimento de bagagens do ônibus. A previsão era de pernoitar na cidade de Ancona e, na manhã seguinte, embarcar para Medjugorje, atravessando o mar Adriático. Antes de atingirmos nossa meta, passaríamos pelas cidades de Lanciano e Loretto.

Em Lanciano, participaríamos da santa missa e, segundo Miguel, poderíamos ver com os próprios olhos o primeiro milagre eucarístico reconhecido pela Igreja Católica. Minhas colegas de viagem ficaram entusiasmadíssimas, mas eu não fazia a menor ideia do que era aquilo. Tive vergonha de perguntar na frente de todos, então me calei.

Ao meu lado estava Gabriela. Àquela altura, todos da excursão já sabiam do nosso namoro. As senhorinhas estavam impossíveis, dando diversos conselhos sobre casamento. Ela parecia não se importar, achando a maior graça. Percebi, contudo, que a morena estava bastante interessada no nosso trajeto, preparando a máquina fotográfica e rezando o terço.

– Tenho uma pergunta idiota para fazer – interrompi a sua oração.

– Aprendi com um professor meu que a única pergunta idiota é aquela que não é feita!

– Sei que vamos participar da missa em Lanciano. O que ela tem de especial é o tal milagre eucarístico. Mas não faço a menor ideia do que seja isso. Desculpe minha ignorância.

– Quer saber o que é um milagre eucarístico?

Ela tocou minha bochecha.

– Pois é, quero, sim.

– Nem percebi que Miguel não fez a introdução sobre o acontecimento. Normalmente ele dá uma bela lição sobre cada lugar que visitamos. Acho que foi um deslize dele. Está se acostumando com as carolas que viajam todos os anos com ele. Esqueceu que tem gente travando contato com a religião católica pela primeira vez.

– Você tem razão, mas, por favor, não fale nada a ele. Prefiro o anonimato.

– Você é que manda. Vou lhe falar um pouco do Catecismo da Igreja Católica, já que tenho estudado o assunto.

– Temos bastante tempo. Sou todo ouvidos – falei, recostando meu rosto na poltrona para fitar melhor seus belos olhos negros.

– Sabe a parte da missa em que o padre levanta a hóstia e o cálice com vinho?

– Sim, sei.

– Pois bem, esse é o momento da consagração. Para os que creem, é o momento da chamada transubstanciação. O vinho se torna o sangue de Cristo e a hóstia, o seu corpo.

– Você acredita nisso?! – minha exclamação saiu sem aviso. Já não dava mais tempo para arrependimentos.

– Sua dúvida é idêntica à de um dos monges de São Basílio, que viviam na igreja que vamos visitar. Ele olhava para o cálice e só via o vinho; olhava para a hóstia e só via um pequeno pedaço de pão.

– Não dá para reclamar do homem, Gabriela. Eu também não acredito que aconteça essa transformação mística no momento da elevação. Sinto muito.

– Tudo bem, Rafael, deve ser por isso que você está sendo conduzido por esta estrada hoje. Deus quer que você veja como seu Filho é capaz de se dar de corpo e sangue.

– Pode ser. Mas, por favor, continue a história. O que aconteceu ao monge de São Basílio? Um homem que duvidava do próprio ofício!

– Segundo a tradição da Igreja Católica, ao elevar as espécies durante uma missa, tomado pela incerteza, ele viu a hóstia consagrada se converter em carne viva e o vinho se tornar sangue verdadeiro.

– Gabriela, não acredito. É demais para mim, sinto muito.

– Será? Pois então se prepare, porque até a Nasa atestou o milagre.

O sorriso de Gabriela era triunfal.

– Como disse? A Nasa está metida nessa história?

Devo ter feito uma cara idiota, pois ela riu muito.

– Os pronunciamentos científicos sobre o milagre são antigos. Começaram a surgir em 1574. Por exemplo, aqui na Itália, em novembro de 1970, os frades menores conventuais, responsáveis pela guarda das substâncias, submeteram-nas a análise científica. A equipe de pesquisadores era encabeçada pelo Dr. Odoardo Linoli, chefe de serviço dos Hospitais Reunidos de Arezzo, livre-docente de Anatomia, de Histologia Patológica, de Química e Microscopia Clínica da Universidade de Siena.

– Gente importante! – exclamei com seriedade.

– As conclusões do estudo foram espantosas. Após uma série de análises e constatações, o parecer final foi publicado nos *Quaderni Sclavo di diagnostica clinica e di laboratorio* de 1971.

Percebi que Gabriela queria ser o mais precisa possível, já que estava lidando com um cirurgião como eu. De qualquer modo, era admirável a memória dela.

– Quais foram as conclusões?

– Os pesquisadores afirmaram que se tratava de um milagre. Diziam que o sangue era verdadeiro, assim como a carne, que seria do tecido muscular do coração.

– Se isso for verdade, é algo fantástico, que deveria ser divulgado em todo o mundo!

Estava começando a pensar que a história pudesse ter uma ponta de verdade, já que o grau de detalhes estava além da imaginação humana.

– Mas não para por aí, Rafael. A carne e o sangue eram do mesmo tipo sanguíneo, AB, e pertenciam à espécie humana. No sangue, foram encontradas proteínas, logo a amostra era do sangue de uma pessoa viva!

Meu queixo caiu. Como médico, eu sabia muito bem que era impossível o sangue conservar suas propriedades fora do corpo humano, como se fosse de uma pessoa viva, durante tanto tempo.

– É interessante notar também que o sangue AB é muito comum entre os judeus.

Eu apenas a observava, em silêncio.

– Tudo isso que os italianos atestaram foi confirmado por um estudo realizado posteriormente pela Nasa. Quando estivermos em Lanciano, vamos visitar uma sala da paróquia onde há uma fotocópia das conclusões da agência. Você vai poder ler com os próprios olhos. Mal consigo esperar!

Ela riu de novo.

– Deve ser algo único em todo o mundo, Gabriela.

Depois de todo aquele discurso, eu estava começando a crer na possibilidade.

– Não é. Para sua informação, aqui perto de onde estamos, na cidade de Cássia, há outro milagre eucarístico que também pode ser visitado. Um dia iremos até lá, que tal?

– Convite irrecusável. Especialmente por vir de uma mulher tão bela como você.

Ganhei mais um sorriso para minha coleção.

Descemos em uma rua estreita. A cidade era bem pequena, mas bonita. A igreja, como já esperava, antiga. Parecia ser bem escura, mas a umidade e a sombra do templo convidavam a entrar. As senhoras do grupo estavam emocionadas, logo sacaram os terços do bolso.

Ao pisar na pedra envelhecida, percebi uma leve luz amarelada que se irradiava em minha direção. Tentei identificar sua origem. Parecia vir de algum objeto atrás do altar. Parei para enxergar melhor. Uma porta se fechou atrás de mim. Uma leve brisa entrou comigo. Olhei para o lado para falar com Gabriela, mas não a encontrei. Onde ela estaria?

Comecei a caminhar pela igreja e a avistei de joelhos em um genuflexório na frente do altar. As outras senhoras da excursão estavam nos bancos próximos. Andei lentamente em direção ao grupo. Todos guardavam o mais absoluto silêncio. Percebi que, na lateral, um frade franciscano me observava. Tinha jeito de brasileiro, mas não me dirigi a ele. Preferi chegar perto da relíquia.

Lá estava um ostensório de prata e um cálice de cristal, que formavam uma peça única. Dois anjos a ornavam, um de cada lado. Era belíssima. Dentro, podia ser vista a hóstia-carne conservada, apresentando uma coloração ligeiramente escura, com uma aparência fibrosa.

Cheguei um pouco mais perto para ver o conteúdo do cálice. Era o sangue. Tinha coloração terrosa, entre o amarelo e o ocre, coagulado em cinco fragmentos de formas e tamanhos diferentes. Era muito impressionante.

– Você é brasileiro? Está com o grupo?

O frade franciscano estava ao meu lado me observando.

– Sou, sim, padre. Vejo que o senhor também.

Ele sorriu.

– Estou aqui para celebrar uma missa para um grupo de brasileiros. Sou franciscano, mas não pertenço a esta comunidade. Venho de Roma. Fui convidado por uma grande amiga e pelo guia da excursão, Miguel. Você está com esse grupo?

Antes que pudesse responder, ouvi a voz de Gabriela. Ela se aproximou velozmente e abraçou o homem.

– Frei Antônio! Que bom que pôde vir. Em Roma nosso encontro foi muito rápido.

– Gabriela, jamais recusaria um pedido seu. O cardeal com quem trabalho é um homem muito bom. Tem um coração de ouro e me liberou na hora em que expliquei quem você era. Já obtive permissão dos meus irmãos franciscanos para celebrar a missa na capela atrás da relíquia. Um lugar muito bonito, onde vão poder observar, com toda a calma, o Corpo e o Sangue de Jesus.

– Rafael, este frade é um dos meus grandes amigos. Cheguei a comentar que havia encontrado um amigo em Roma, quando nosso grupo acabara de chegar à Itália, lembra?

Claro que eu lembrava. Não esquecia nenhum detalhe que viesse dela.

– Rafael, Deus deve ter planos interessantes para você. Do contrário, não daria em suas mãos tamanha preciosidade – disse o padre, referindo-se a Gabriela.

Fiquei desconcertado. Ela já o informara do nosso namoro.

– É verdade, frei. Ela é uma preciosidade.

– Bobagem, frei Antônio. Sabe o quanto sou complicada.

– Isso só confirma seus talentos, Gabriela. Além do mais, nunca conheci uma mulher que não fosse complicada.

Ri muito da resposta espirituosa do sacerdote. Gostei dele de imediato. Parecia ser um sujeito muito humano.

– Não assuste meu namorado, frei Antônio. Vamos, quero me confessar antes da missa.

Gabriela tomou o braço do sacerdote e se dirigiu ao confessionário.

Ao final da missa, despedimo-nos de frei Antônio com a promessa de uma futura visita, em Roma, onde o frade cursava o doutorado em Teologia e exercia a função de secretário de um cardeal italiano. Gabriela estava radiante; parecia embarcar no ônibus que se dirigia ao Paraíso.

– Agora, Rafael, você vai conhecer a casa onde viveu Nossa Senhora – disse Miguel pelo microfone do ônibus.

– Quem? A Mãe de Cristo? – perguntei, um pouco distraído.

– Ela mesma.

Miguel deu um leve tapa em meu ombro.

– Pelo que sei, Miguel, ela viveu e morreu na Terra Santa – falei, sem muita convicção.

– Não esteja tão certo disso, meu amigo. Alguns estudiosos dizem que ela não morreu em Jerusalém, mas na Turquia. Já ouvi até quem dissesse que o túmulo dela estaria no Paquistão!

– Ora, Turquia, Jerusalém, Paquistão, tanto faz. Mas não aqui, na Itália, não é? – questionei, confuso.

– Não aqui, você tem razão. Ela não chegou a morar em nenhuma parte da Itália. – Miguel parecia se divertir.

– Então, se ela não morou aqui, como podemos visitar a casa de Nossa Senhora, Miguel?

– Aí é que está! A casa em que Nossa Santa Mãe viveu foi trazida para cá. Está na cidade de Loretto.

Miguel exibiu um sorriso triunfal.

– Alguém se deu ao trabalho de trazer a casa onde Maria morou?

– Exatamente.

– Quem fez isso?

Pensei logo que o responsável era algum tipo de arqueólogo. Como eu nunca tinha ouvido falar dessa história?

– Foram os anjos – interveio Gabriela.

– Ah, claro!

Não consegui interpretar a intromissão como algo sério. Ela já tinha percebido que eu não acreditava muito em questões de espiritualidade e devia estar me testando.

– Não creio. Existe outra explicação – respondeu nosso guia, entretido.

– Miguel, lembre-se de que Nossa Senhora de Loretto é a padroeira da aeronáutica. A verdadeira Senhora dos Ares. Isso por causa da história de que os anjos trouxeram voando a casa de Nossa Senhora para a cidade italiana.

Gabriela sorria. Eu não sabia se ela estava falando sério ou se brincava.

– Meu pai era piloto. Ele tinha duas imagens douradas de Nossa Senhora de Loretto, uma em casa e outra em seu gabinete – lembrei na hora.

– Na minha opinião, essa é uma bela lenda. Se bem que, com toda a certeza, os anjos interferiram na mente dos homens envolvidos para que a casa da Virgem Maria viesse parar neste lugar. Então vou dar metade do crédito a Gabriela.

Todos riram.

– Afinal, Miguel, qual é a sua explicação?

Definitivamente a dupla havia conseguido aguçar minha curiosidade.

– A hipótese mais atual para a presença da casa em que Nossa Senhora viveu com São José e o Menino Jesus depois que retornou do exílio no Egito tem por base um documento de setembro de 1294, conservado em um arquivo de Nápoles.

– Que interessante. Quer dizer que a manobra toda foi documentada pela Igreja? – perguntei, pois seria uma história muito mais plausível do que a contada por Gabriela.

– Isso, meu amigo. O tal documento diz que não foi a casa inteira que veio de Nazaré, mas apenas suas pedras – explicou Miguel.

– Vieram pelos ares? – brinquei, olhando sorridente para Gabriela.

– Não. Naquela época não havia aviões!

Todos riram da resposta bem-humorada de Miguel.

– Então só pode ter sido pelo mar – concluí, levando em conta a distância da Terra Santa para a Itália.

– Perfeito, Rafael. As pedras foram trazidas de navio pelos cruzados, quando foram forçados a deixar a Terra Santa. O responsável pelo transporte foi o membro de uma família bizantina, de sobrenome De Angelis, que em português quer dizer "Dos Anjos".

– Agora entendi a lenda que Gabriela contou. Durante os anos, de boca em boca, as pessoas contavam que o transporte tinha sido obra dos anjos, claro, "De Angelis"! – concluí, satisfeito.

– Foi isso mesmo. Quando chegaram à Itália, as pedras teriam sido entregues ao papa Celestino V, como um presente do bispo de Recanati, encarregado do papa para os negócios pontifícios. Por se tratar de um presente muito valioso, o papa determinou que se construísse uma capela em honra de Nossa Senhora, escolhendo a belíssima colina que vamos ver daqui a pouco. Perto desse lugar havia um bosque de louros, daí surgiu o nome "Loretto".

Quando Miguel terminou de dar a aula, avistamos o mar e a bela colina. Em poucos minutos o grupo estava diante da Basílica de Loretto. Do lado de fora não dava para ver a casa de Maria. Todos estavam ansiosos para adentrar o santuário.

Gabriela me deu a mão e, com um sorriso, me convidou a segui-la. Dessa vez, diante de tudo que havia ouvido de Miguel, estava convencido de que veria algo histórico, até porque eu era conhecedor dos talentos dos cruzados.

Assim que pisei na basílica, pude ver a pequena construção. A capelinha tinha só 4 metros de largura por 9 metros de comprimento. As famosas pedras trazidas pela família De Angelis só permitiram a construção das paredes até a altura de uns 3 metros. O resto foi completado com tijolos do próprio local. Não tinha alicerces, mas, como dissera Gabriela, suas medidas correspondiam perfeitamente às da casa em que a Sagrada Família vivera em Nazaré.

Tentei disfarçar a emoção de ver algo tão antigo. Comecei a pensar em como seria viver naquelas condições. Senti vergonha das minhas reclamações injustas. Mesmo vivendo no luxo, queixava-me de certas coisas em meu apartamento. Olhando para o pequeno espaço que recebera Jesus, Maria e José, tinha que colocar a mão na consciência.

Gabriela se soltou de mim e se ajoelhou em um dos cantos da casinha. Colocou a mão na pedra e fechou os olhos. Percebi um leve movimento dos lábios. Ela estava concentrada em oração. Não quis atrapalhar e resolvi sair da casa. Fui em direção ao altar da basílica. Fiquei em frente à imagem negra. Não podia deixar de notar a semelhança com a padroeira do Brasil, Nossa Senhora Aparecida. Não era comum encontrar imagens de Maria Santíssima daquele tipo.

– Rafael, você não imagina minha emoção de estar aqui. – Os olhos de Gabriela estavam marejados.

– Dá para notar.

– Foi ali, naquela pequena casa, que o arcanjo Gabriel anunciou à Maria o nascimento do Cristo, a Encarnação do Verbo Divino!

Fiquei quieto, pois nunca tinha ouvido essa informação.

– Mas, Gabriela, Miguel disse que essas pedras pertenceram à casa onde a Sagrada Família habitou quando retornou do exílio, no Egito.

– Então, a mesma casa onde eles moraram antes da partida para o exílio. Quando retornaram, continuaram a morar lá. Entendeu, Rafael?

Sim, eu tinha entendido, só não sabia se acreditava.

– Onde você ouviu isso?

– Quem disse que esta casinha foi visitada pelo arcanjo Gabriel foi uma santa italiana.

– Uma santa? – Não gostei muito do início da explicação.

– Santa Catarina de Bolonha, em seu texto *Rosarium*, de 1440!

Ela conseguia me impressionar com sua cultura. Como podia ter estudado todos esses fatos religiosos sendo uma psicóloga?

– Você viu a parede da casa onde eu coloquei a mão, Rafael?

– Sim. O que tem de especial, além, óbvio, de você acreditar que a Sagrada Família viveu ali?

– Vejo que você não é muito observador. Ela está emoldurada em ferro.

– Não reparei... Por que aquela pedra é diferente das demais?

– O bispo de Coimbra, em 1561, resolveu retirá-la para si.

– Como? O bispo português resolveu levar uma pedra de Nossa Senhora para casa?

Comecei a rir. Seria um excelente souvenir!

– Sim. O problema é que, ao chegar a Portugal com a pedra, ele ficou gravemente enfermo. Percebeu que o que tinha feito desagradara a Deus. Decidiu, então, retornar a relíquia. Quando a pedra foi devolvida, o homem recobrou milagrosamente sua saúde.

– Quando olho para Nossa Senhora com o Menino Jesus no colo, coberta com o manto dourado, me emociono. Penso logo em meu pai – falei, contendo as lágrimas.

– É bonito ver como você amava seu pai. Eu também amava muito o meu. E ambos morreram de câncer. Nossas vidas realmente têm muitas coincidências, não acha?

– Não sei o que pensar. Só sei que estou completamente apaixonado por você!

Beijei-a longamente em frente à imagem da Virgem, pedindo a ela que me desse aquela mulher para toda a vida. Depois de passar uma hora e meia na Basílica de Nossa Senhora de Loretto, a excursão voltou ao ônibus para seguir caminho.

Acabei adormecendo com a cabeça apoiada no ombro de Gabriela. Sonhei com um ser muito alto, de braços e pernas longos, que trajava uma veste amarela e magenta e tinha traços parecidos com os dos seres humanos. Ele virava a palma reluzente da mãos em minha direção. Pontos luminosos se formavam e, como mágica, uma brisa ininterrupta atingia minha cabeça. Sentia-me reconfortado e revigorado.

Com medo, evitava falar com ele, mas sua voz poderosa me dizia: "Honre seu Deus e seus pais. Suporte os desafios dolorosos que virão." Aquilo me perturbava muito. Decidi perguntar: "Quando não honrei meus pais? Que desafios são esses?" Nada mais saía de sua boca. Seu olhar sobre mim era como uma tormenta. Depois de algum tempo em silêncio, continuou: "Olhe a tempestade que vai cair. Fique firme." Sem entender do que falava, indaguei: "Quando? Não estou vendo. Onde será? Vou morrer?" Ele só me olhava, com reprovação.

Despertei na entrada da cidade de Ancona. Não via nada belo, apenas uma área portuária comum. No hotel, quando me despedi de Gabriela e segui para meu quarto, tive a impressão de ouvir uma das senhoras do grupo dizer que haveria uma forte chuva no dia seguinte. Fiquei preocupado, pois a criatura do meu sonho mencionara uma tempestade que iria cair.

Ao deitar, deixei o medo de lado. Admitir a validade daquele sonho era algo muito supersticioso. Não combinava comigo nem com minhas crenças. Talvez tudo tivesse sido produzido por meu inconsciente. Havia me emocionado em Loretto por causa da memória do meu pai, muito devoto da Virgem Negra.

Provavelmente a religiosidade de Connors havia invadido com força minha mente enquanto eu dormia, produzindo aquele ser tão diferente e mágico. Até mesmo a cor magenta aparecera nas vestes da criatura, igual à do envelope de Mark! Preferi não me preocupar.

CAPÍTULO XVII

Travessia

O ônibus chegou cedo ao estacionamento do porto de Ancona. Fomos encaminhados a uma sala grande, onde as malas passariam por um aparelho de raios X, e também atravessamos um detector de metal. O oficial italiano nos observava entediado. Não havia muito movimento naquela tarde. O burburinho não o incomodava, já que os italianos costumam ser igualmente ruidosos.

Além do nosso grupo, poucos estrangeiros do Leste Europeu, além de meia dúzia de italianos, iriam tomar o mesmo rumo. Depois de mostrarmos o passaporte e pegarmos a bagagem, formamos fila no pátio, junto à entrada do navio. O mar, calmo, exalava um forte cheiro salgado. Ao longe, víamos nuvens carregadas se amontoando nos céus. Lembrei imediatamente do sonho.

Um calafrio percorreu minha espinha. No fundo havia certa dúvida em minha cabeça: o ser reluzente viera a mim me dar um aviso? Não! Quanta besteira! Não podia deixar que superstições povoassem meu raciocínio. Uma coisa, entretanto, era certa: a tempestade da qual falara estava se formando bem na minha frente. Se era perigosa ou não, naquele momento ninguém podia prever. Estava com receio de entrar naquela embarcação.

Entramos no navio em fila indiana, passando por um corredor apertado, subindo incontáveis degraus, até atingir uma pequena bancada. Uma funcionária chinesa pediu, em inglês, nossos passaportes. Após olhar um a um, determinou que prosseguíssemos até uma determinada sala, que, daquele ponto, não conseguíamos visualizar.

Atingindo o lugar indicado pela funcionária da empresa de navegação croata, chegamos ao posto onde as chaves das cabines seriam distribuídas, com sofás velhos já ocupados por bom número de viajantes. De forma rude, outro empregado do navio gritava, com sotaque carregado, os sobrenomes das pessoas. Em seguida, sem muita educação, entregava as chaves a cada um. Logo pensei: "Isso vai ser muito demorado!"

Sem paciência, resolvi questionar Miguel. Será que ele não poderia tomar das mãos do croata as chaves disponibilizadas para o nosso grupo? Ele bem que tentou. Não deu certo. Perguntei, então, se era possível saber quais seriam as nossas cabines, assim deixaríamos as malas nas portas. Nova tentativa infrutífera. Aquela informação não poderia ser dada, pois as reservas haviam sido feitas no Brasil, diretamente com a empresa que fazia a travessia do mar Adriático. Gostaria de ficar próximo a Gabriela, mas, pelo visto, era uma questão de sorte.

Percebendo a impaciência geral, Miguel pediu que o grupo se reunisse em uma ampla sala do navio, tomando um corredor de acesso. Ele ficaria ao lado do croata, pegaria nossas chaves e depois nos entregaria.

Assim foi feito. Minha cabine era a 21-A. Parti para o meu leito sem saber onde ficaria Gabriela, pois ela ainda não havia sido chamada por Miguel. Disse-lhe que a encontraria em uma hora, para o jantar. Teríamos, pelo jeito, muito tempo para conversar, pois nossa viagem era de aproximadamente sete horas.

Na cabine, pude tomar banho em um cubículo apertado, algo típico dos navios. Deitei-me um pouco, mas não consegui relaxar, pois ouvia os trovões ao longe. Comecei a pensar na criatura do sonho, no meu namoro com Gabriela, na morte de meu pai e em Medjugorje.

Meus pensamentos foram atrapalhados por um estrondo, que ecoou do lado de fora. Quando olhei pela pequena janela da cabine, percebi os primeiros pingos de chuva ainda tímidos.

O navio se afastou do deque. Lentamente deixou a baía para ganhar o mar Adriático. Olhei meu relógio e vi que faltavam seis minutos para o horário marcado com Gabriela. Coloquei calças jeans, tênis branco e uma camisa branca do Fluminense. Saí apressado pelo corredor, quase trombando com outros passageiros.

Quando me sentei à mesa do compartimento reservado ao restaurante, com os outros peregrinos, a tempestade ficou séria. Muitos se levantaram e, mareados, retornaram para as cabines. Eu não podia fazer o mesmo, pois esperava por Gabriela, que estava atrasada. Comecei a ficar preocupado se tinha desistido diante da tormenta, já que a embarcação balançava muito.

Comi uma salada péssima e bebi um chá gelado. Estava tendo uma conversa agradável com Miguel quando consultei o relógio e pensei em me recolher. Ao levantar, porém, avistei a bela morena, vestida com uma saia cáqui e camisa branca, de sandálias cor de terra. Abriu-me um sorriso que me fez sentar novamente.

– Não acredito! O que faz um americano como você vestir a camisa do melhor time do mundo?

Fiquei todo satisfeito por ter acertado na escolha do vestuário.

– Esqueceu que passei boa parte da minha vida no Rio de Janeiro? Quando tinha 10 anos, meu avô materno, torcedor fanático do Fluminense, me levou para ver a final do Campeonato Brasileiro. Na época, o torneio se chamava Taça de Prata.

– Incrível! Eu também fui ao jogo com meu pai. Foi a primeira vez que o Fluminense foi campeão brasileiro. Lembro-me bem, estava sentada no colo dele, cercada por uma multidão, quando o Fluzão empatou com o Atlético Mineiro em 1 a 1 com um gol de Mickey! Pena que não nos conhecemos lá!

Demos uma gargalhada. Os estrangeiros que estavam na mesa ao lado nos olharam em reprovação.

Ela parecia não sofrer nenhuma influência do balanço do mar agitado. Até mesmo Miguel, habituado à travessia para Split, parecia um pouco esverdeado. Aquilo era um bom sinal, pois, no Rio de Janeiro, em terra firme, ela havia sentido tonturas. Será que uma doença como a dela poderia retroceder? Àquela altura, apaixonado como estava, queria muito que isso acontecesse.

O guia se despediu de nós com aparência doentia, dizendo que pela manhã, bem cedo, bateria à porta das cabines, reunindo as malas de todos no corredor para o desembarque. Continuei conversando com Gabriela por mais uma hora, até que uma funcionária veio pedir que nos retirássemos, pois o horário de funcionamento já havia se encerrado. Saímos para o corredor onde ficavam os alojamentos, batendo nas paredes do corredor, achando graça da situação inusitada. Despedimo-nos com um beijo à porta dela.

Quando me deitei na pequena cama, parecia estar em uma rede de dormir, tamanho o sacolejar do navio. Por incrível que pareça, aquilo foi me dando imensa paz. O barulho da chuva violenta na janela, o choque das ondas que arrebentavam no casco da embarcação, o som afinado dos ventos velozes, tudo me acalmava.

Relaxado, fechei os olhos. Meu corpo começou a amolecer. Cada vez menos meu cérebro o sentia. Na minha percepção alterada, crescia o meu espírito, que, por sua vez, parecia desgarrado de sua base material, interagindo de modo estranho com os ventos da tempestade que desabava lá fora.

Mesmo de olhos fechados, minha visão parecia estar presente, com alcance de 180 graus. Inexplicavelmente, via através das paredes da cabine. Avistei do lado de fora o ser que trajava amarelo e magenta. Dessa vez ele estava mais reluzente e seu olhar impunha um respeito enorme. Não tinha mais medo dele, pois compreendi que ele não estava ali para anunciar minha morte.

Fiquei muito confuso. Não sabia se estava sonhando porque tudo era muito nítido. Ao mesmo tempo, a cena era tão fantástica que não poderia ser real. Um "sonho lúcido". Interrompendo meus pensamentos, a criatura disse "Connors". Gelei. Ele conhecia meu pai. Como era possível? Minha cabeça estava indo longe demais...

Senti um tranco no corpo, com um estampido surdo. Eu estava de volta ao corpo, consciente, como havia estado em todo o processo de conversação com aquele ser. Procurei me sentar. Minhas costas estavam moídas, como se eu tivesse feito uma sessão de exercícios físicos intensos. Comecei a rir, pois não sabia se havia enlouquecido ou tivera uma experiência mística.

Fui ao banheiro, lavei o rosto e retornei para a cama. Estava tão excitado que não consegui mais dormir. Coloquei a calça e saí para o convés. Queria ver com meus olhos a tempestade que bombardeava o casco. Quando abri a pequena porta de ferro, um grande volume de água atingiu meu rosto, num só golpe. Precisei me equilibrar para não cair para trás.

Com dificuldade, passei uma perna e depois a outra, indo em direção ao centro do convés. Os ventos estavam furiosos e levantavam minha camisa. Mesmo sem ter sido atirado à água, estava completamente ensopado. Quando olhei para cima, só vi o breu. Respirei fundo. A sensação era fantástica.

Estava completamente sozinho, no meio da intensa tormenta. Meus pés se fixaram como raízes no chão. Encontrei meu equilíbrio, nada poderia me derrubar. Sentia-me poderoso, envolvido pela velocidade do vendaval. Tive a impressão de ver, ao longe, pequenas luzes. Por mais que eu procurasse a criatura nos céus, não a vi em momento algum. Se ela era criação da minha mente, não tinha certeza. Mas a sensação de bem-estar que estava experimentando era maravilhosa! Talvez meu inconsciente tivesse atuado daquela forma para acabar de vez com a depressão que eu sentia desde a morte de Connors.

De repente, uma mão pousou com força em meu ombro. Tomei um susto. Uma voz gritava algo que eu não compreendia, em uma língua eslava. Virei-me com dificuldade para ver quem era. Um dos homens da tripulação, bastante alarmado, com os olhos arregalados, me puxava para dentro. Resolvi ceder e retornar. Quando pisamos em local seguro, totalmente molhados, o sujeito disse em péssimo inglês que era proibido ficar do lado de fora em condições como aquela. Medida de segurança, para evitar uma queda no mar bravio.

Pedi desculpas, sem prestar muita atenção ao que ele falava, e retornei à cabine. Entrei novamente debaixo do chuveiro. Coloquei a roupa molhada dentro de um saco plástico e o meti na mala. Quando chegasse a Medjugorje, eu a colocaria para secar.

Saí do banheiro e, checando o relógio, percebi que teria apenas duas horas para tirar um cochilo. Não me importava, sentia-me revitalizado. Aquele noite tinha sido de suma importância. Havia renascido através de uma manobra do meu inconsciente ou, quem sabe, de uma experiência mística – até hoje não concluí qual delas. A causa pouco me importava.

Fazia calor em Split. Mais uma vez, uma confusão de malas e de pessoas que se amontoavam na calçada, à beira-mar. Estávamos aguardando um novo ônibus que faria o trajeto até Medjugorje. Gabriela estava encantada com o azul transparente do mar, contrastando com as montanhas acinzentadas que espremiam a cidade turística croata.

– Que visual lindo, Rafael! – exclamou, me abraçando.

– A Croácia é um destino muito requisitado por turistas italianos. As praias são lindas mesmo. Essa cor azul do mar me lembra uma piscina.

– Fico pensando nos meus treinos de natação. Quando voltar ao Rio de Janeiro, vou retomar as competições. Você poderia nadar comigo. Que tal?

Por um momento, fiquei em silêncio observando-a. Como ela podia cogitar algo assim com um tumor na cabeça?

– Não sou da água. Meu negócio é corrida de rua mesmo. Mas posso tentar, desde que você me acompanhe em uma maratona. Fechado?

Sorri para ela. Não podia transparecer meu medo. Era melhor que ela acreditasse que ficaria curada. Nenhum bem poderia brotar do meu pessimismo.

– Muito bem, estamos combinados.

– Gente, vamos marchar para o nosso destino? O ônibus é aquele ali da esquina: magenta e amarelo.

Olhei, espantado. As cores da túnica usada pela criatura do meu sonho! Seria uma coincidência? Magenta não era uma cor muito comum, muito menos em um ônibus turístico.

O caminho era espetacular. Lembrava, em maior escala, a avenida Niemeyer, na zona sul do Rio de Janeiro. As montanhas de um lado e o mar cristalino do outro. A pista era de mão dupla e, em alguns momentos, dava para olhar o precipício da janela do ônibus.

– Vamos fazer uma parada em um pequeno santuário, dedicado por freiras a Nossa Senhora de Lourdes.

Os olhos de Gabriela cintilaram.

– Que coincidência, Rafael! Tenho um amor todo especial por Lourdes. Gosto de pensar que foi lá que minha cura começou a ser traçada por Deus.

– Quem sabe?

Como médico, não podia encorajá-la a acreditar na cura. Por outro lado, não podia impregná-la com meu medo. O lado psicológico do paciente era fundamental para a recuperação.

O ônibus parou em um recanto lindo, aos pés das montanhas. Fiquei sentado em um banco de cimento, sob uma árvore enorme, observando Gabriela rezar aos pés da imagem da Virgem de Lourdes. Ao final, ela acendeu uma vela e a colocou junto a tantas outras que queimavam com os pedidos feitos ali.

A parada fez bem a todos. Renovados, retornamos à condução. Depois de algum tempo, a trilha pela costa da Croácia foi abandonada. Rumamos para o coração da Bósnia, no interior do continente. Uma hora e meia depois, estávamos ingressando na via principal de Medjugorje. Paramos no meio-fio, em frente à porta do hotel. Descemos e alguns funcionários vieram nos ajudar com as malas.

O hall era simples. Percebi o grande número de imagens e quadros que retratavam a Rainha da Paz. Meu pai ficaria muito feliz de me ver ali. Subi dois lances de escada com minha chave na mão. Encontrei minha mala na porta do quarto número 333. O lugar era simples, porém novo e limpo. Recém-inaugurado, talvez. A cidade, que pensava ser uma pequenina aldeia, havia se expandido muito em função dos turistas nos últimos anos. Estávamos hospedados na nova área urbana, junto ao comércio e à Igreja de São Tiago.

Depois de deixar as malas no hotel, decidi dar uma caminhada para alongar as pernas e as costas. Estava cansado de ficar sentado. Minha cabeça ainda oscilava um tanto por causa do navio e do trajeto montanhoso. Bati à porta do quarto de Gabriela para que ela me acompanhasse. Não obtive resposta. Imaginei que estivesse dormindo ou tomando banho. Saí sozinho.

Fiquei espantado com o volume do comércio religioso: inúmeras lojas vendendo o mesmo tipo de material, com preços muito baratos. Em determinado momento, cheguei a pensar que aquelas pessoas nem se importavam com as aparições da Virgem. O fundamental era atrair o maior número possível de turistas e vender o máximo. Depois, percebendo que a população local era bem miserável, entendi que o comércio era, na verdade, um presente da própria Virgem para eles. Um sustento providencial para suas famílias.

Lembrei-me de Aparecida do Norte, em São Paulo. Atualmente, dentro do santuário nacional, há um shopping com diversos produtos, não só religiosos. De qualquer modo, em todos os lugares onde há romarias, existe comércio. É natural que as pessoas queiram levar para casa alguma lembrança do lugar onde estiveram rezando.

Caminhei até a pracinha em frente à Igreja de São Tiago. Parei diante de uma bela imagem da Rainha da Paz, onde pessoas estavam rezando o terço. Rezei uma Ave-Maria em agradecimento pela oportunidade de estar naquele lugar, cumprindo o último desejo de meu pai, e voltei para o hotel.

Após o almoço, Miguel marcou uma reunião em uma das salas do hotel. Queria nos explicar sobre a história do lugar e as aparições de Nossa Senhora.

Nosso guia contou que, em 1914, com a Primeira Guerra Mundial, os homens locais foram convocados para a batalha enquanto mulheres e crianças passavam fome. Terminada a guerra, o Império Austro-Húngaro se desmembrou e, sob a proteção dos Aliados, foi criado o Reino dos Sérvios, Croatas e Eslovenos, tendo sido coroado rei Alexandre, sérvio de religião ortodoxa oriental.

No seu reinado, a Igreja Ortodoxa exerceu grande pressão sobre o clero católico para que adotasse suas práticas na região. Mas os católicos croatas de Herzegovina não estavam dispostos a renunciar nem à sua fé, nem à sua identidade nacional. Recusaram veementemente a submissão.

Veio, então, a Segunda Guerra Mundial. Nela, o antagonismo entre croatas e sérvios alcançou o auge. Os croatas queriam a independência, não suportando mais a opressão estrangeira. Os sérvios não queriam perder os privilégios nem o papel dominante que exerciam sobre as nações dos Bálcãs.

Nessa confusão, que misturava nações e religiões, Tito, o ditador que obtivera apoio de Winston Churchill, fundou uma nova Iugoslávia, implantando um regime comunista ateu. O novo Estado, governado com mão de ferro, concentrava seis repúblicas, onde havia três línguas oficiais e três religiões diferentes: católica romana, ortodoxa grega e islâmica.

Após o fim da Segunda Guerra Mundial, centenas de sacerdotes foram executados na Bósnia-Herzegovina. Miguel nos informou que, no dia seguinte, iríamos visitar um convento franciscano, onde vários padres haviam sido assassinados.

O comunismo do déspota Tito mostrou sua verdadeira face, abolindo o catecismo das escolas, obrigando os croatas da região a manter em silêncio suas devoções, assim como sua história.

Em 1966, os habitantes de Medjugorje conseguiram autorização do governo comunista para levar adiante o projeto de construção de uma igreja. Ela foi erguida e dedicada a São Tiago. Para um povoado como aquele, era um templo de tamanho avantajado.

Membros das aldeias vizinhas se perguntavam, até com certa ironia, para que uma localidade tão pequena como Medjugorje teria uma igreja daquele tamanho. Anos depois, porém, ela já não comportava tantos fiéis. Até a praça em frente ficava lotada durante as celebrações. Foi preciso instalar alto-falantes para que as pessoas pudessem acompanhar a liturgia.

CAPÍTULO XVIII

Mártires

Acordamos cedo para o café da manhã. Participaríamos da celebração de uma missa em uma cidade próxima, Mostar. Lá, visitaríamos o convento franciscano, cujos frades foram dizimados pelos comunistas. Miguel nos avisou que frei Zak nos receberia para uma oração. Era um frade muito importante na região por causa dos dons que diziam possuir.

– Esse sacerdote tem fama de santo aqui nas redondezas. Realiza coisas especiais – disse Marta, uma das senhoras do grupo, que já havia visitado Medjugorje duas vezes.

– Sério? O que ele faz de tão especial? – perguntei, curioso.

– Ele foi preso pelo regime comunista na década de 1980, quando deu abrigo aos pequenos videntes de Nossa Senhora. Recusava-se a baixar a cabeça para o governo ateu e, por isso, levaram-no para uma prisão próxima daqui. Depois que as grades das celas eram fechadas à noite, as de frei Zak se abriam milagrosamente. Os guardas corriam para evitar que o detento escapasse, mas o encontravam rezando em silêncio, sentado na cama.

– As grades do padre se abriam sozinhas?

– Sozinhas, não. Nossa Senhora as abria, meu filho.

– Não é possível!

– Tem mais: o frade pediu para receber uma Bíblia, para fazer suas orações diárias. Os guardas arrumaram uma em italiano. Ele não falava a língua, mas resolveu ficar com o exemplar assim mesmo. Meses depois, estava fluente no idioma, mesmo sem ter aulas. Aliás, quando nos receber, falará em italiano conosco, você verá.

As histórias eram muito fantásticas para meu gosto, coisa de gente supersticiosa.

Gabriela se divertia em ouvir tudo aquilo. Estava feliz em poder fazer suas orações em mais um lugar de aparições marianas. Queria muito ver o frade e participar da sua missa.

– Rafael, no mínimo será um evento interessante. Mesmo que você não acredite nos poderes sobrenaturais do homem, há de convir que ele faz parte da história do lugar. Foi corajoso ao proteger o grupo de meninos videntes e peitar o regime comunista. Veja que beleza: ele foi preso por sua fé. É algo a se considerar, não acha?

– Sim, verdade. Um sujeito com tamanha coragem é digno de visitação. Vai ser uma manhã bem interessante.

Logo pensei em meu pai, que sempre tivera uma postura corajosa em todos os momentos da vida.

Durante o caminho podíamos observar as construções muito pobres, reunidas em pequenas comunidades em meio à paisagem árida da região. Os anos de guerra deixaram uma herança terrível para aquele povo. Eles tinham uma força de vontade enorme para se reerguer do nada. Aquilo tocou meu coração.

Chegamos ao belo convento franciscano. Nem parecia ter sido lugar de tanto terror anos antes. Fiquei impressionado com o tamanho da igreja, que dominava a cena. Era enorme, em uma localidade praticamente vazia! Fomos bem recebidos pelos franciscanos que lá habitavam. Seus sorrisos e bênçãos nos encorajaram a seguir para dentro do recinto.

– Venham até aqui um instante. Quero contar a história deste lugar. – Miguel reuniu o grupo na porta da igreja.

– Dentre os franciscanos que ficaram em poder dos comunistas, havia um frade bem velhinho. Passava a maior parte do tempo em uma cadeira de rodas, que ocupava havia alguns anos. Os comunistas o colocaram para assistir às barbáries realizadas contra os demais irmãos.

– Que coisa mais terrível! – exclamaram as senhoras do grupo em coro.

– Calma, gente, mal comecei a história.

Miguel abanava as mãos para que as mulheres fizessem silêncio e escutassem o que estava por vir.

– Os comunistas foram torturando e matando os frades do convento na frente de todo mundo, inclusive do idoso. Exigiam que os religiosos, bem como o povo local, repudiassem a fé em Jesus Cristo. Quem se recusasse era morto. No final, sobraram uns poucos e o frade inválido. Como os invasores perceberam que o frade estava com muito medo, resolveram fazer uma pressão mais forte sobre ele, usando-o como exemplo para os mais novos.

– Nossa, que coisa abominável! Que gente mais covarde! – gritou uma das senhoras, indignada.

– Sim. Pegaram um crucifixo que estava na parede do convento e o colocaram no colo do homem, que estava assustado em sua cadeira de rodas. Solenemente, anunciaram aos demais que se aquele frade ancião cuspisse na cruz na frente de todos seria libertado. Poderia seguir sua vida normalmente.

– O que ele fez? – perguntei, interessado, pensando em Connors.

Meu pai, mesmo doente, jamais teria aceitado essa proposta.

– Veja que situação, Rafael: ele estava com muito medo e era um homem muito frágil. Mas é em momentos assim que Deus toma conta e reveste o ser humano com seu poder.

– Verdade. São Paulo nos diz que é na fraqueza que Deus nos faz fortes – interveio outra senhora.

– O velhinho suspirou, olhou cada um dos seus irmãos franciscanos nos olhos e disse: "Servi ao meu Deus durante toda a minha vida. Não vai ser agora, no final da minha caminhada, que vou renegá-lo."

Ele se inclinou, trêmulo, pegou a cruz e a beijou.

– Que coisa mais bela! Os comunistas o libertaram? O que fizeram com ele, Miguel? – indagou Gabriela.

– Infelizmente não o libertaram. Assim que ele beijou a cruz, os homens atiraram em sua cabeça, matando-o na frente dos outros frades para amedrontá-los.

Seguiu-se uma barulheira. Os peregrinos estavam revoltados com a crueldade dos homens do ditador Tito.

– Calma, gente! Deus não deixa jorrar em vão o sangue dos mártires! O exemplo do frade inválido deu frutos. O efeito foi contrário ao que esperavam os comunistas. Todos os frades, mesmo os seminaristas mais jovens, decidiram imitar o mais velho. Todos deram a vida por Cristo. Aliás, a causa deles já foi encaminhada ao Vaticano. Um dia serão todos declarados beatos.

Miguel foi aplaudido pelas mulheres. O sorriso voltou aos lábios de todos. Entramos na igreja para participar da missa que estava para começar.

O grupo foi se ajeitando nos bancos da igreja. Sentei-me perto de uma porta lateral, de onde se podia ver um belo jardim. Nele estava sentada uma adolescente em um banco, com dois rapazes enormes e uma mulher que aparentava ser sua mãe. Parecia não se sentir bem, pois baixava a cabeça o tempo todo, preocupando aqueles que tomavam conta dela.

Minha atenção retornou para o interior da igreja, onde um frade começou a recitar o rosário no microfone. Era notório que havia gente de várias nacionalidades, já que as respostas às Ave-Marias eram em diversas línguas. A oração uníssona em idiomas distintos provocava um efeito belíssimo. Dava a ideia de uma bela confraternização.

De repente a porta lateral bateu contra a parede, fazendo um estrondo. Era a menina que eu tinha visto no jardim. Passou na minha frente e ficou parada, em pé, no centro da igreja. Os dois jovens grandalhões vieram logo atrás e procuraram segurá-la com força.

A mãe da moça chorava, balançando em suas mãos o rosário. Uma parte das pessoas naquele lado da igreja foi para os fundos, com medo. Não entendi do que se tratava, mas observei que as pupilas da moça estavam bem dilatadas.

Seu semblante era assustador. Os lábios, que havia poucos minutos eram róseos, estavam negros. A pele parecia ser feita de cera. As bochechas estavam meio frouxas. Os olhos esbugalhados eram sombreados por uma mancha negra. Arfava intensamente e emitia sons sinistros, como se fosse um animal enjaulado.

Ela olhou feio para os rapazes que a seguravam e, com um movimento coordenado e potente, arremessou um para cima dos bancos e o outro na parede. Os dois pareciam bonecos de papel, tamanha a facilidade com que se livrou deles.

Houve um rebuliço. As pessoas se levantaram dos bancos, apavoradas, e se dirigiram para o altar. A parte central da nave da igreja ficou praticamente vazia. Um frade tentou conter a debandada pelo microfone.

– O que está acontecendo, Gabriela?

Levantei-me para ver melhor o que se passava.

– A garota está possuída por algum ser demoníaco, Rafael.

De pé ao meu lado, ela exibia um olhar preocupado. Dei uma risadinha. Não acreditava naquilo. Para mim ela estava tendo um surto psicótico e precisava urgentemente de medicamento.

– Posso ir até lá oferecer meus serviços médicos. Talvez ela esteja tendo um grave surto. Posso tentar resolver, o que acha?

– Estou falando sério, Rafael. Não me parece ser algo psicológico. Olha, essa é a minha área, sei distinguir uma coisa da outra.

Gabriela continuava imóvel, observando tudo com cautela.

– Vou chegar mais perto para tirar minhas conclusões.

Quando comecei a andar pelo corredor, a menina disparou na minha direção com uma velocidade incrível. Parou a centímetros do meu nariz. Fiquei todo arrepiado e congelei. Não conseguia me mexer. Não sabia o que fazer.

Ela se pôs a falar em latim. Fiquei impressionado. A voz era grossa como o rugido de um leão. Ela ria de mim, mas não me tocava. Pensei que, se me segurasse, eu teria poucas chances de escapar, já que não era tão forte como os dois que acabaram arremessados. Eu ficaria seriamente machucado. Apesar disso, permaneci calado e no mesmo lugar, olhando em seus olhos.

Então, em inglês, ela falou:

– Não posso perder a sua alma. Aquele maldito Arcanjo das Tempestades, Rafael, vai ver só!

Fiquei boquiaberto. Será que tinha mencionado a criatura que vi em meu sonho? Não era possível! Não tinha comentado com ninguém a respeito dele. E o nome "Rafael"? Teria se referido a mim ou ao ser?

A adolescente, então, desistiu de conversar comigo. Caminhou adiante, em direção ao altar. As pessoas lhe davam passagem atabalhoadamente, apavoradas. Foi nesse momento que surgiu frei Zak. Com muita tranquilidade, ele observava os passos velozes da moça. Ela gesticulava e o xingava em diversas línguas, apontando-lhe o dedo em riste. Ele não se alterava.

A multidão fazia muito barulho por causa do medo. Eu estava impressionado com o que via. Ninguém conseguia dominar a pequena garota. Ela parou em frente à escada que antecedia o altar. Zak ergueu a mão direita e começou a orar com voz forte, olhando fixamente para ela.

A moça começou a se retorcer. Caiu de joelhos urrando. Seus berros se assemelhavam aos de uma pessoa transpassada por uma faca, ouvidos até por quem estava do lado de fora da igreja. O frade continuava tranquilo, com a mão erguida, direcionando a ela suas orações. Finalmente a menina parou de grunhir. Passou as mãos pelos cabeços loiros e, chorando, começou a se levantar.

Seus olhos azuis retornaram ao tamanho normal. A mancha negra desaparecera da face. As bochechas estavam firmes, e a boca, rosada.

As lágrimas pareciam ser mais de alívio do que de dor. Estava procurando pela mãe. Encontrou-a em um canto da igreja. Ambas se retiraram pela porta lateral, de mãos dadas. Lá fora, reuniram-se com os dois rapazes no mesmo jardim onde estavam antes daquele show de horrores.

Como se nada tivesse acontecido, frei Zak deu ordens para que se formasse uma procissão com a cruz de Cristo e uma imagem da Rainha da Paz, na porta principal da igreja, para dar início à Santa Missa. As pessoas se acomodaram em seus lugares novamente e começaram a cantar as músicas do folheto. Dei uma olhada no que estava escrito, mas não compreendi nada.

– Gabriela, nós não íamos falar com esse frade em particular? Ele não ia dar uma bênção ao grupo brasileiro? – perguntei bem baixinho no seu ouvido.

– Sim, mas será depois da missa, Rafael. Agora o mais importante é rezarmos. Vou pedir especialmente pela garota que foi exorcizada.

Ao final da missa, o sacristão nos encaminhou a uma sala sem janelas na lateral direita da nave central. Havia um número pequeno de cadeiras, por isso fiquei em pé, juntamente com Gabriela. Na realidade, o local era estreito demais para comportar um grupo como o nosso. Todavia, aparentava ser a única oportunidade para conseguir um tempo com o sacerdote.

Após quinze minutos de espera, frei Zak ingressou pela única porta da sala. Olhou-nos de forma séria e compenetrada, encarando e cumprimentando um a um. Em nenhum momento sorriu. Postou-se na frente do grupo, pigarreou e fez uma oração em italiano. Nosso guia fazia a tradução. As senhoras estenderam seus terços, pedindo uma bênção do homem. Ele os tomou em suas mãos.

– Antes de dar a bênção, quero dizer a vocês algumas palavras. Estes objetos que seguro são de fato instrumentos de combate. Funcionam, no mundo espiritual, como verdadeiras armas de fogo. Tem um poder de destruição enorme sobre o maligno. Vocês sabem como apertar o gatilho?

Todos aguardaram, curiosos, a resposta.

– Com a fé. Ela detona o gatilho e expulsa o mal de suas vidas.

Fez o sinal da cruz e uma oração em croata. A seguir, devolveu tudo aos respectivos donos, deu-nos as costas e se retirou.

Saímos pela mesma porta. Atravessamos a igreja, já vazia, e nos concentramos na entrada principal. Aguardávamos o nosso ônibus para voltar a Medjugorje.

– O que você achou da nossa peregrinação a Mostar? Movimentada, não foi? – perguntou Gabriela, com o sorriso de sempre.

– Interessante. Você realmente acha que aquela menina croata estava possuída pelo demônio?

– Sim. Não parecia ser um surto psicótico. Além do mais, você reparou como ela se movimentou em velocidade até parar bem perto de você?

– Verdade. Aquilo foi impressionante. Nem o campeão mundial dos 100 metros rasos conseguiria uma arrancada tão eficiente.

– Ela parecia ter cravado os pés bem na sua frente. Pensei que ia atacá-lo. Você não teve medo?

– Na hora não soube o que fazer. Ela havia atirado longe dois rapazes bem maiores do que eu. Poderia facilmente ter me arrebentado!

Olhei para o chão, depois para os olhos dela.

– Deus protegeu você – afirmou ela.

– Não acredito.

– Por que não acreditar?

– Deus tem coisas muito mais importantes para fazer do que me proteger em uma situação em que me coloquei em perigo só por causa da minha curiosidade. Se Ele estava me observando naquela hora, provavelmente ficou chateado.

– Ele é um Pai zeloso, Rafael. Mesmo diante das travessuras dos filhos, não dá de ombros nunca. Fica nos monitorando para ver até onde vamos. A menina teria arremessado você na rua se quisesse. Foi Deus quem a impediu.

– Bem, o mais curioso é que a adolescente falou em latim e em inglês comigo. Mencionou até uma criatura com quem sonhei. Não sei se tem algo de sobrenatural nisso tudo. Mas é muito estranho.

– Uma criatura? – perguntou ela, desconfiada.

– Pois é... – respondi sem graça. Tinha vergonha de falar sobre aquilo.

– Não vai me contar como foi o sonho?

– Não me lembro bem – menti.

– Mas se lembra da criatura. Não poderia descrevê-la para mim?

– Tinha uma forma assemelhada à humana. Não dava para saber se era homem ou mulher. Tive a impressão de que era uma figura mais masculina do que feminina. Usava uma túnica magenta com toques amarelos. No sonho, surgiu do meio da tempestade. Parecia comandá-la. Irradiava uma luz poderosa, que brotava de suas mãos.

– Um anjo, Rafael!

– Não tinha asas – brinquei com ela.

– Quando eu era menina, vi o arcanjo Gabriel sobre o mar da praia de Copacabana. Era muito parecido com o que você está me descrevendo. Ele também não me apareceu com asas.

Fiquei bestificado. Não sabia se ela estava falando sério ou me testando de novo. Achei melhor não questioná-la para não parecer muito antipático.

– Gabriela, você ouviu o que a menina me disse em inglês?

– Não, fiquei longe, no banco onde estávamos.

– Ela falou algo sobre um Arcanjo da Tempestade. Penso que se referia à criatura do meu sonho.

– Que coisa maravilhosa, Rafael! Viu como Deus gosta de você?

– Calma, Gabriela. Não sei como a menina sabia do arcanjo, mas acho difícil que tenha sido algo real.

– Agora quem está dando uma hipótese impossível é você. Como a menina pôde entrar na sua cabeça e recolher informações de um sonho passado? Só na ficção científica, Rafael. A única explicação viável é que seu sonho foi uma experiência mística.

Não sabia o que dizer. Preferi não falar a Gabriela, mas o sonho parecia tão real... As sensações, os sons, as cores, tudo estava muito vívido. Talvez houvesse uma explicação científica para aquilo. O problema é que eu nunca havia lido nada a respeito nos anais acadêmicos. Como as coisas estavam muito embaralhadas para mim, resolvi não mencionar que a menina tocara em meu nome.

Nosso ônibus fez rapidamente o curto trajeto entre as localidades. Pelo menos aparentava ter sido veloz, já que, quando me dei conta, estava desembarcando na porta do hotel. Meu sonho com o arcanjo e as cenas da manhã não saíam da minha cabeça. Gabriela se queixou que eu estava "aéreo".

Fomos para os quartos antes do almoço. Da janela do meu, podia ver o alto da montanha do Krizevac, onde despontava uma cruz de concreto armado. Ela dominava o espaço e parecia atrair todos os ventos do lugar. Diziam que era um local de milagres, onde os peregrinos gostavam de ir para fazer seus pedidos.

Olhando para o monumento, tive a impressão de vê-lo girar sobre sua base de concreto. Esfreguei os olhos com cuidado. Observei novamente a montanha. Lá estava ele, impassível. Nem um movimento. Fiquei preocupado: todos aqueles acontecimentos estavam transtornando minha cabeça. Será que minha mente passara a criar fantasias e ilusões, misturando-as com a realidade?

– Gabriela, há um problema – falei bem baixinho ao seu ouvido, quando me sentei ao seu lado no restaurante do hotel.

– Aconteceu alguma coisa? Você está se sentindo mal?

– Pode ser... Não sei.

– O que aconteceu? Você esteve por tão pouco tempo no quarto...

– Foi lá mesmo.

– Tudo bem, pode falar.

– Sabe aquela cruz enorme que fica no alto do Krizevac?

– Sim, Miguel nos mostrou hoje de dentro do ônibus, pela manhã. Nós faremos uma via-sacra pela subida daquele monte amanhã. Terminaremos junto à cruz de cimento.

– Do seu quarto você consegue avistar a montanha?

– Não. Meu quarto dá para a frente do hotel. Fica bem acima do lugar onde descemos do ônibus. Por quê?

Ela acariciou meu rosto.

– Tive a impressão de ver a grande cruz dar uma volta sobre seu eixo.

Assim que terminei a frase, ela sorriu. Não gostei nada disso.

– Desculpe! Não estou rindo de você.

– Então está rindo de quê? – perguntei, chateado.

– Antes de você descer para o restaurante, Miguel estava contando que, nas duas últimas excursões para cá, algumas pessoas viram exatamente o que você relatou.

– Sério? – indaguei, chocado.

Gabriela se levantou e acenou para Miguel, que estava com quatro senhoras do grupo no outro canto do restaurante. Ele acenou de volta, indicando que já viria ao nosso encontro.

– Muito bem, o casal mais charmoso de todas as excursões que fiz na vida! – Miguel chegou, com sua voz de barítono, todo sorridente.

– Muito obrigado, Miguel – agradeci, mas não toquei no assunto. Não era boa ideia.

– Miguel, sabe o fenômeno da cruz de cimento que dá voltas sobre si lá no alto do Krizevac? – começou Gabriela.

– Claro. É famoso entre os peregrinos daqui. O que tem ele?

Miguel colocou a mão no meu ombro.

– Rafael acabou de vê-lo.

Miguel vibrou de alegria.

– Gente, o Rafael viu a cruz do Krizevac dar a volta sobre si!

Era tudo o que eu não queria. Em menos de trinta segundos, nossa mesa comportava o grupo inteiro de peregrinos brasileiros, que faziam um barulho enorme, ecoando por todo o restaurante.

Precisei contar a história umas três vezes. Afirmei que era pura ilusão de ótica, mas não adiantou: cada vez que eu narrava o fato, as senhoras do grupo ficavam emocionadas e diziam "glória a Deus!"

bem alto. Fiquei muito constrangido, mas não consegui dissuadi-las. No final, fui perdendo a vergonha, já que o relato de fenômenos estranhos parecia normal em lugares como aquele.

– Meu amor, você é um privilegiado – disse Gabriela, pontuando a frase com um beijo.

– Que absurdo, Gabriela! Não podemos brincar com a fé dessas senhoras assim. Não aconteceu nada. Foi uma ilusão de ótica. Eu estava alterado pelo navio e pelas incontáveis horas dentro do ônibus. A física deve explicar bem o que vi.

Ela apenas sorriu, preferindo evitar o conflito.

– Que dia vamos enfrentar a subida para o Krizevac?

Eu queria me preparar psicologicamente. Não podia mais permitir que meu inconsciente me pregasse outra peça.

– Como já disse, será amanhã. Primeiro, pela manhã, vamos à Colina das Aparições para rezar um terço no local onde Nossa Senhora apareceu tantas vezes. À tarde, seguiremos para o Krizevac.

CAPÍTULO XIX

Colina das Aparições

Na manhã seguinte, acordei atrasado, às nove horas. Não encontrei ninguém no café da manhã. Àquela altura já tinham zarpado em direção à Colina das Aparições, onde rezariam o terço. Tomei um gole de café e comi pão puro, sem manteiga ou qualquer complemento. Subi as escadas correndo. Entrei no quarto feito um louco, escovei os dentes e parti em busca do meu grupo.

Encontrei-o na subida da colina. Miguel lia uma passagem do Evangelho de São João para as senhoras, que estavam sentadas em pedras, protegendo-se com um guarda-sol. Haviam parado lá para descansar um pouco. Estavam acompanhados de um padre português. Ao final da leitura, o sacerdote começou a fazer um sermão muito chato a respeito dos nossos pecados. Sentei-me ao lado de Gabriela, que me deu um beijo, segurando minha mão. Olhei para o céu e agradeci por ter passado filtro solar.

– Por que você não me chamou? Estava todo mundo aqui, menos eu. Que vergonha! Dormi mais do que a cama.

– Ontem notei que você estava muito cansado. Achei que era bom ter um pouco de sossego pela manhã para enfrentar o Krizevac à tarde.

O grupo reiniciou a subida em direção ao local onde Nossa Senhora havia aparecido aos videntes. Era um caminho de terra batida coberto por pedras pontiagudas que, às vezes, pareciam perfurar meu tênis, incomodando os pés. As senhoras do grupo, por sua vez, caminhavam com bravura, sem reclamar do forte calor nem das adversidades do solo.

Passamos perto de uma bela cruz negra, cuja base estava repleta de cartas e fotografias. Notei que as mulheres traziam uma porção de bilhetes também para serem depositados ali.

– O que é isso, Gabriela? Elas vão sujar o local; parece falta de educação.

Ela começou a rir.

– Ora, Rafael, não é nada do que você está pensando. As mulheres trouxeram bilhetes das pessoas de seu convívio, do Brasil. Estão colocando as cartas aos pés da cruz, já que Nossa Senhora costuma aparecer aqui. É para que a Virgem Mãe as receba e as leve à Sala do Trono do Pai.

– Quer dizer que esperam receber as graças de Deus simplesmente porque seus pedidos ficaram depositados aqui, aos pés desta cruz?

– O que para você parece absurdo, para elas é uma questão de fé – explicou ela tranquilamente.

Chegamos ao local onde finalizaríamos a oração da manhã. A emoção do grupo só não se comparava ao calor que fazia. Mesmo assim, ninguém arredou pé. Todos ficaram concentrados até o último momento.

No caminho de volta, Miguel convidou o grupo para uma pequena oração em frente à estátua do Cristo ressuscitado, que ficava próxima ao hotel. Era enorme, feita de bronze: Jesus de braços abertos se levantando da sepultura. Situava-se no centro de uma pequenina praça, rodeada de uma arquibancada de cimento com poucos degraus.

Quando as pessoas se aproximaram do gigante de bronze, apresentando suas orações, o Cristo vertia óleo, que brotava como gotas de orvalho e deslizava pelo seu corpo. O povo, munido de lenços, catava as gotinhas milagrosas para levar para casa. Cheguei com Gabriela bem perto da cena, para ver como aquilo acontecia.

Algumas pessoas que estavam coletando as gotas acabaram de se retirar. A imagem estava seca novamente. Miguel parou ao nosso lado e disse para começarmos a rezar o Pai-Nosso. Logo depois, emendamos com um Credo e um Glória. Das pernas do Cristo começaram a surgir as gotinhas de óleo. Era impressionante!

Os brasileiros ficaram entusiasmados e engrossaram o coro de orações. As gotas pareciam acompanhar o ritmo da reza e vertiam com mais intensidade. Alguns pegavam o óleo com as próprias mãos e se benziam. Outros o recolhiam em lenços de linho e fechavam os olhos, fazendo pedidos.

Analisei bem de perto o "suor" do Cristo e não encontrei explicações plausíveis para o fenômeno. Entendi por que Connors queria que eu fosse àquela terra. Achou que algum acontecimento místico poderia mudar meu preconceito.

Além disso, meu pai sabia quanto meu coração ficaria ferido com sua morte. Nos poucos dias que ficamos juntos em Boston, ele havia percebido minha fragilidade emocional. Mesmo com o corpo chagado, estava preparando uma estratégia para que eu reencontrasse a paz e a alegria de viver. A Bósnia havia sido sua solução. Não podia negar que, durante aquela viagem, meu coração parecia ter renascido. Minha sorte ultrapassara as expectativas de Connors, pois, além de todo benefício que estava colhendo com a peregrinação, eu encontrara o amor. Essa parte com certeza não havia sido planejada por ele!

Decidi que estava na hora de arriscar um passo maior: pedir Gabriela em casamento. Não podia esperar para ver como ficaria nosso relacionamento no futuro para tomar essa decisão. Como médico, sabia muito bem que ela poderia falecer a qualquer momento. Poderia não existir um amanhã. Era agora ou nunca.

Precisava dar um jeito de me desvencilhar dela para comprar uma aliança, como mandava o protocolo. Ela não podia desconfiar de nada. Queria fazer uma bela surpresa. Seria um momento sublime para nós dois: um pedido de casamento em plena terra da Rainha da Paz. Acho que ela ficaria muito feliz com uma coisa desse tipo.

– Meu amor, por que você não vai andando para o hotel com o pessoal enquanto eu procuro uns santinhos para levar aos meus amigos americanos? – perguntei, tentando dar um tom despretensioso à voz.

– Não estou com pressa. Posso ajudar você na sua busca – replicou ela, sorridente.

– Bobagem, é tão longe! Além do mais, você precisa se alimentar direito para continuar subindo e descendo com vigor as montanhas íngremes daqui.

Ela não se convenceu, mas, sabiamente, entendeu que eu precisava de um momento sozinho. Conformou-se e me deu um beijo de despedida.

Quando vi o grupo brasileiro se afastar, comecei a caminhar rapidamente até a entrada da cidade. Havia notado a presença de um ourives naquela região. Com sorte encontraria um anel perfeito para o pedido. Precisava agir logo, já que, em pouco tempo, o grupo estaria a caminho do Krizevac para a via-sacra.

Afobado, debaixo de um sol escaldante, caminhava olhando para os dois lados das ruas. Lojas e mais lojas. Nada do que eu queria. Ao longe, via o vapor saindo do calçamento. Minha pele branca ardia, denunciando que o tempo de proteção do filtro solar já havia expirado, e começava a ficar avermelhada. Mas não podia desistir agora.

Quando já estava quase fora da cidade, encontrei uma placa escrita em inglês. Uma seta apontava adiante, com o tempo de vinte minutos. Depois de tudo o que havia caminhado, aquele tempo seria uma eternidade. Por um segundo, tive vontade de dar meia-volta e desistir. Algo maior me impeliu à frente.

Entrei na loja e um senhor muito alto, com uma barriga enorme, me recebeu com um inglês entrecortado. Expliquei que iria me casar e precisava de um anel compatível. Ele abriu um sorriso, dizendo que tinha o que eu procurava. Pegou um molho de chaves, abriu um cofre na parede e de lá retirou uma caixa negra, aveludada.

Mostrou-me uma bela aliança em estilo clássico. Questionei se havia outros tamanhos. Ele colocou tudo o que tinha em cima da bancada de vidro. Meus olhos de cirurgião apontaram para o que julguei ser o tamanho exato do dedo anelar de Gabriela. Minha missão estava cumprida. Agora precisava literalmente correr em direção ao hotel, tomar banho e estar no horário marcado no saguão para seguir ao Krizevac.

Na volta, meu coração estava acelerado, algo que não costumava acontecer nem enquanto dava minhas longas corridas. Era um atleta experiente e bem treinado. Só podia ser o nervosismo e a emoção do que estava por vir. Comecei a pensar qual seria o melhor momento para fazer o solene pedido: antes ou depois da via-sacra?

Também tinha dúvidas a respeito do local. Enquanto meu coração dava seus palpites, uma imagem se formou em minha mente: a cruz de cimento no alto do monte. Sim, aquela parecia ser a solução ideal. Gabriela tinha demonstrado grande apreço pelo local e estava muito empolgada com a possibilidade de colocar seus bilhetes para Nossa Senhora lá em cima.

Esperaria até ela terminar seu ritual e depois, como quem não quer nada, me aproximaria para fazer o pedido de casamento. Mas e as senhoras do grupo? E Miguel? Todos assistiriam à cena? Aquilo poderia ser um grande vexame. Minha timidez começava a atrapalhar a aventura. De tanto pensar, fiquei com uma pequena dor de cabeça. Resolvi deixar de lado a questão da plateia.

Entrei no hotel feito um louco. Peguei a chave do quarto todo suado. Não esperei pelo elevador e subi as escadarias. Quase derrubei a porta do quarto. A cada passo que dava, ia jogando para o lado uma peça de roupa. Atirei-me debaixo do chuveiro. Que alívio sentir a água gelada!

Saí do banho e procurei vestir minha melhor roupa. Seria um dos momentos mais importantes da minha vida, queria estar alinhado.

Só não colocaria terno e gravata porque não tinha na mala. Não quis ir de camisa branca, pois era meu uniforme de trabalho. Optei por uma amarela, como o sol que brilhava lá fora, anunciando a grandeza do momento pelo qual passaria.

CAPÍTULO XX

Krijevac

M iguel nos reuniu ao pé do monte. Aquele era o marco do início da via-sacra. Meditaríamos sob um sol insistente e seguiríamos o caminho doloroso de Cristo sobre pedras pontiagudas, em meio à vegetação rasteira e árida. Pelo lugar em que tudo se daria, logo pensei: "Não poderia ser mais apropriado!"

– Quando começarmos a subir, cuidado com os arbustos nos dois lados da via de pedras e terra. Eles têm espinhos enormes, cortam como facas.

– Miguel, dizem que são idênticos àqueles usados na coroa de espinhos de Jesus. É verdade? – perguntou uma senhora.

– Bem, eu vi os espinhos da coroa que enterraram na cabeça de Jesus, na Basílica de Santa Croce in Gerusalemme, em Roma. Realmente se parecem muito com estes que estamos vendo nos arbustos.

Formou-se um burburinho. Eram espinhos muito pontiagudos e grossos.

– Deve ter jorrado muito sangue de Nosso Senhor, não é? – indagou outra mulher.

– A cena não deve ter sido nada agradável. Na subida dolorosa rumo ao Calvário, Cristo devia estar ensopado de sangue, da cabeça aos pés.

Fiquei imaginando aquela situação. Uma pessoa que apanha e é torturada por horas, sem comida e água. Depois era exposta ao ridículo, para ser humilhada pela população. Então colocam um enorme madeiro em suas costas retalhadas pelas chibatadas e fazem com que carregue o peso. Tudo isso complementado por um capacete de espinhos, terrivelmente cortantes e grossos, penetrando sua cabeça, fazendo jorrar sangue sobre os olhos, nariz e boca!

– Ele era um homem com uma capacidade física especial, não acha? – perguntei a Gabriela.

– Tenho certeza. Só não compreendo bem por que Deus o deixou fazer tamanho sacrifício. Já que Ele era o Filho do Todo-Poderoso, deveria ter vindo ao mundo como divindade para varrer da Terra seus inimigos! – exclamou Gabriela.

Achei graça.

A caminhada íngreme começou. As pedras quentes e agressivas do monte começaram a incomodar, furando sapatos, ferindo os pés dos peregrinos. Percebi que algumas mulheres vestidas de preto e cobertas por pesados véus andavam em bom ritmo, descalças!

– Como elas fazem isso? – questionei Gabriela.

– Fazem o quê? Usam roupas horríveis neste calor insuportável? Não sei. Deve ser algum treinamento praticado desde criança – brincou ela.

– Também. Mas o que eu queria saber mesmo é como elas conseguem pisar descalças, nestas pedras que parecem canivetes quentes, sem sentir dor. Ainda por cima vão rezando concentradas. Acho que você tem razão: são treinadas desde criança.

– Elas são da Macedônia. Estão acostumadas com o clima e o piso difícil, meus amigos – explicou Miguel, intrometendo-se. Há outras pessoas que fazem o mesmo. Estão pagando promessas ou fazendo penitência para alcançar alguma graça. Isso é muito comum por aqui, em Medjugorje. – Miguel apontou alguns exemplos.

Quando alcançamos a metade da subida, algumas das senhoras mais velhas avisaram que não conseguiriam seguir em frente. Retornariam ao ônibus para se recompor no ar-condicionado. Miguel pegou o celular e chamou o motorista para que ele as escoltasse morro abaixo.

– Aproveitando nossa pausa, vou dar algumas explicações para vocês, os remanescentes. Já é possível ver com nitidez a enorme cruz de concreto lá em acima. Todos estão vendo?

Assentimos, colocando as mãos acima dos olhos para bloquear o sol.

– Esta peça de cimento tem um nome: Cruz Votiva. Possui 10 metros de altura! Por causa dela, o monte onde estamos, que se chamava Sipovac, passou a se chamar Krizevac, "Monte da Cruz" em croata. Quando chegarmos no topo do monte, estaremos a exatos 537 metros de altura.

Todos sorriram.

– A Cruz Votiva foi erigida para comemorar os 1.900 anos da Paixão de Cristo. O padre que teve essa ideia, Bernardin Smoljan, convocou seus filhos espirituais a consagrarem, com esse gesto, a paróquia de Medjugorje a Cristo, Salvador do Mundo, protegendo a população contra todos os males.

– Miguel, acho que não deu muito certo... haja vista as guerras ocorridas aqui – interpelou uma senhora prontamente.

– Não é bem assim, Vanessa! Claro que deu certo, já vou falar sobre isso. Sua construção foi muito interessante. Os paroquianos daqui, alguns descalços, já que o lugar era muito pobre, transportaram sacas de cimento, barras de ferro, vigas de madeira e outros materiais. Na construção da imensa cruz, algumas relíquias sagradas, que supostamente faziam parte da própria Cruz de Cristo, foram trazidas de Roma e inseridas no seu interior.

O grupo ficou alvoroçado. Todos queriam tocar o objeto de cimento.

– No dia da consagração, toda a paróquia subiu a montanha, passando por esse caminho rochoso entre espinheiros, rezando o terço, entoando cânticos a Nossa Senhora. Após a bênção da cruz pelo pároco, outro padre, chamado Grgo Vasilj, nascido aqui em Medjugorje, celebrou a primeira missa no local. Desde 1933, todos os anos, em setembro, celebra-se uma missa no Krizevac.

Para ouvir com mais atenção, posicionei-me na pequena sombra formada por um arbusto e me sentei sobre uma pedra desgastada. Sentia-me mais revigorado com a pausa. O sol maltratava minha cabeça e minha pele. Estava me sentindo em uma sauna seca. Sabendo o que a população local havia suportado para construir a Cruz Votiva, fiquei envergonhado. Camponeses subiram descalços, carregando materiais de construção nas costas, e eu, todo equipado, já estava derrotado pelo sol de verão.

– Como vocês sabem, a guerra destruiu a nação dos Bálcãs. Mas, pasmem, Medjugorje foi poupada dos horrores! Há ou não proteção sobre esta terra da Virgem Maria?

Todo assentiram.

Quando atingimos o alto, pudemos contemplar a linda vista da cidade. Campos verdes dominavam nossos olhos, esbarrando em altas cadeias montanhosas pintadas de cinza-escuro ao longe. A emoção do grupo era visível. Os ventos começaram a falar mais alto aos meus ouvidos enquanto meus olhos corriam pela paisagem exuberante. Novamente meu pai veio à mente. Era o tipo de lugar que Connors adoraria ver. Será que nunca estivera ali?

– O que houve, Rafael? Seu rosto está mais reluzente, você parece muito distante. Algum problema? – A voz de Gabriela quebrou meu transe.

– Nada, apenas estava apreciando a bela vista. Acho que todos do grupo estão muito impressionados com o que veem.

– Bem, vou me ajoelhar aos pés da cruz. Tenho muito o que agradecer, e também alguns pedidos para fazer. Você não vem?

Ela me puxou pela mão.

– Claro que vou. Vá na frente. Já chego lá. Estou querendo apreciar um pouco mais a cidade daqui de cima.

Ela soltou minha mão, me beijou e seguiu feliz em direção à cruz.

Observei-a de longe, ajoelhada aos pés da cruz. Precisava reunir coragem para fazer o pedido de casamento. Era um passo decisivo na minha vida. Resolvi, então, apelar: clamei pelo Arcanjo da Tempestade. Se ele existia, viria em meu socorro. Do contrário, não teria me aparecido em sonho nem sido mencionado pela adolescente em Mostar.

Mentalmente, sem muita convicção, iniciei minha prece: "Arcanjo, não sei rezar. Mas sei o que quero e preciso: Gabriela. Se você é real, me dê hoje um grande presente: minha amada em casamento. Se ela disser sim, prometo que vou descobrir o seu nome e lhe prestar minhas homenagens todos os anos."

Até eu me surpreendi com minha atitude. Talvez estivesse me contaminando com toda aquela religiosidade. Ou, quem sabe, tudo era real. Gabriela e as senhoras do grupo estariam certas o tempo todo. Pensando bem, qualquer que fosse a verdade, uma pequena oração a um ser angélico não me faria mal.

Vi que, no corpo de concreto da Cruz Votiva, havia várias rachaduras e alguns buracos. Dentro, era possível visualizar um grande número de bilhetes, fotografias e objetos religiosos. Tinha de tudo: imagens de santos, pequenos crucifixos e até alguns terços. Uma ideia surgiu para me tirar da paralisia.

Aproximei-me da cruz, sem incomodar as orações de Gabriela e dos demais, e percebi que era possível subir ao seu topo, com razoável esforço de malabarismo. Alguns rapazes mais jovens realizavam a façanha.

Tomei coragem e tirei os sapatos, deixando-os ao lado de uma pedra. Escrevi em um pedaço de papel emprestado: "Arcanjo da Tempestade, me conceda a graça de me casar com Gabriela." Dobrei e coloquei o bilhete no bolso.

Encaixei minhas mãos e pés nas fendas, respirei fundo e icei meu corpo. Como não sou pesado, o esforço não foi dos mais intensos. Comecei a ganhar altura. Não olhei para os lados nem para baixo. Sabia que estava sendo observado pelos turistas e peregrinos, mas não me importei. Tinha que conseguir meu intento.

Quando cheguei bem no alto da cruz, encaixei os pés nas vigas e, com a mão esquerda apoiada em um de seus braços, introduzi numa rachadura o bilhete com o pedido. Se o arcanjo era real, entenderia meu esforço e o aceitaria como sacrifício.

A descida foi mais complicada. Dizem que, para descer, "todo santo ajuda", mas no meu caso não foi bem assim. Precisava olhar para baixo para procurar onde encaixar os pés e as mãos. Quando mirei o solo, vi que muita gente assistia a minha peripécia. Tive, por um instante, vergonha do que estava fazendo. Não era mais criança para subir daquele jeito em um monumento da cidade.

Inspirei fundo, ignorei os olhares curiosos e até algumas fotos e me pus a descer. Quando toquei o solo, reparei que Gabriela estava me observando ao longe, com um sorriso, debaixo de uma árvore frondosa – naquele ponto da montanha a vegetação de arbustos dava lugar a belas árvores. Caminhei em sua direção.

– Nunca imaginei que alguém pudesse ir tão alto na cruz! Você parecia muito tranquilo lá em cima.

Ela me deu o braço.

– Não sei por quê, mas me senti em paz e seguro. Era como se Deus me encorajasse a subir.

Ela gostou da minha observação. Aproveitando que meu ato inusitado tinha ganhado seu aplauso, resolvi partir para a ofensiva.

– Gabriela, venha comigo um instante perto da cruz.

Sorri e a puxei pela mão, fazendo com que se levantasse.

– Claro.

Ela não entendeu bem o que eu queria. Meu plano teria que ser muito bem executado.

Ao chegarmos perto da base de concreto, me virei para ela e comecei a falar.

– Olhe para mim um instante. Quero que Deus, Nossa Senhora e o Arcanjo da Tempestade sejam minhas testemunhas.

– Testemunhas? Do que você está falando, meu amor? – questionou ela, desconfiada.

Saquei do bolso a caixinha negra, aveludada. Ela ficou sem reação, com os lábios entreabertos, como se fosse me dizer algo. Não lhe dei chance e disparei:

– Sou louco por você. Você me trouxe uma nova vida. Sou outro homem hoje e quero continuar a ser feliz ao seu lado para sempre. Quer se casar comigo?

Os olhos dela ficaram marejados, a respiração, ofegante, e ela fez uma espécie de bico. Mas não deu nenhuma palavra.

– Por favor, não me deixe sem resposta, Gabriela!

Instintivamente ela segurou minhas mãos, apertando a pequena caixa entre nós. Nem percebíamos que todos nos observavam. Fomos interrompidos pelos aplausos, que começaram a se alastrar, vindos de todos os lados! Os mais próximos tiravam fotos, emocionados com o momento.

– Meu amor, me desculpe, fiquei sem palavras. Você me surpreendeu demais... É claro que sim!

– Que cena mais bela! Nunca vi nada igual. Vou contar para todos os meus futuros grupos de peregrinos que Nossa Senhora também é casamenteira!

A voz de trovão era inconfundível. Miguel estava eufórico, sorrindo de orelha a orelha.

Começamos a descer o monte em direção ao ônibus. Quando tomamos nossos lugares, Miguel fez o anúncio do casamento para os que ainda não sabiam. As senhoras mais idosas, que não puderam subir até o cume, vieram nos dar os parabéns, beijando-nos o rosto. O clima era de festa, com uma alegria contagiante.

Durante o almoço, Miguel resolveu fazer uma surpresa: reuniu o pessoal e mandou servir um belo bolo branco. Disse que era um presente de noivado da agência. Todos aplaudiram. Servimos aos demais, até mesmo aos turistas estrangeiros que estavam no restaurante e compreenderam o que se passava.

Pouco antes das cinco da tarde, o grupo se reuniu na praça em frente à Igreja de São Tiago. Fomos informados de que a missa daquele dia não poderia ser realizada dentro do local, já que não comportaria todo mundo. Seria celebrada por frei Zak no rincão da praça que existia nos fundos da igreja. Acatamos prontamente e nos encaminhamos para o lugar.

O altar estava em um palco. Caixas de som se espalhavam pela praça. Os pontos sombreados pelas belas árvores estavam ocupados por um número grande de pessoas. Como não tinha outro jeito, o grupo brasileiro se sentou ao sol, em bancos colocados de frente para a estrutura. Era notória a empolgação geral.

Sacerdotes paramentados chegaram numa pequena procissão, trazendo em destaque uma cruz de prata. Subiram os degraus pela lateral do coreto gigante. Os padres se postaram nos bancos que ladeavam o enorme altar. Reconheci frei Zak imediatamente.

– Ele causa uma impressão poderosa, não é, meu amor? – perguntou Gabriela.

– Sem dúvida. Há algo no olhar dele que inspira confiança e força, que exercem certo magnetismo. Talvez seja a intensa rotina de oração e jejum que ele faz.

– Poderia ser sua santidade, não acha?

Dei de ombros. Nunca tinha conhecido um santo de verdade – não que eu soubesse, ao menos.

O sacerdote deu início à celebração, em croata. Uma mulher simpática no banco de trás ofereceu sua liturgia diária em inglês para acompanharmos a missa. Agradeci, feliz. Com o livreto nas mãos, tudo era muito mais fácil, sabíamos quais leituras estavam sendo feitas.

Na homilia, todavia, não houve solução: ninguém entendia o que o homem dizia, pois falou quase o tempo todo em croata. Só no final, no seu italiano fluente, resolveu dizer que as pessoas precisavam rezar o rosário todos os dias e jejuar duas vezes por semana, para sua própria conversão. Seria algo recomendado em Medjugorje pela Rainha da Paz.

Seguiu-se a oração do Credo, com as preces da comunidade. Outras línguas foram ouvidas ao microfone, já que havia representantes de várias nações. Ao fim, houve o ofertório e, ao fundo, era tocada uma bela música, com um bom número de violinos e uma moça que tocava uma harpa com maestria.

Chegou o momento da consagração. Faltavam poucos minutos para as 18 horas. O sol estava magnífico, pondo-se à nossa esquerda. Discretamente tirei uma foto para colocar em destaque na minha casa.

Frei Zak elevou o Corpo do Senhor. Fez-se silêncio. As pessoas se ajoelharam no chão coberto de pedregulhos e terra batida. Depois, ele falou as palavras rituais, elevando o cálice com o Sangue de Jesus. Então aconteceu algo inesperado, que eu nunca tinha visto nem ouvido falar. O sol saiu de seu curso natural. Correu o céu de um lado a outro! Os fiéis começaram a falar sem parar, assustados.

Como um disco voador, traçou uma via errática sobre nós, com grande velocidade. Parecia uma bola sendo jogada por Deus de um lado para outro. Soavam vozes espantadas em diversas línguas. De repente, a bola de fogo parou acima de nossas cabeças e assumiu a forma de um coração. Seu tom laranja se tornou vermelho e ele começou a pulsar. Eu podia ouvir seu batimento com meus próprios ouvidos! Muitos se atiraram ao chão com medo, outros tiveram um acesso de risos e uma parte chorava copiosamente.

Do nada, mais uma vez o sol começou a mudar de cor. Ficou azul, passando ao amarelo, depois ao verde e, por fim, retornou ao laranja. Começou a inflar e a se aproximar do povo. Percebi o pânico de alguns, que pensaram se tratar do fim do mundo. Eu e Gabriela estávamos encantados com aquele espetáculo.

Quando frei Zak baixou os braços, o sol voltou ao normal e se pôs rapidamente. Caiu um grande silêncio. Até os animais e aves dos céus se calaram, estáticos. As pessoas ficaram em pé para a oração seguinte.

A missa seguiu em frente. Ao final, eu não encontrava explicações racionais para o fenômeno, mas não estava preocupado com isso. Havia decidido ser um pouco mais maleável com as coisas do espírito após a benesse que me fora concedida pelo Arcanjo da Tempestade. Na manhã seguinte, embarcaríamos de volta a Ancona. Depois, retornaríamos para Roma.

CAPÍTULO XXI

Roma

Teríamos mais três dias em Roma. Gabriela já havia contatado frei Antônio na mesma tarde em que eu a pedira em casamento. Feliz com a notícia, ele deu uma sugestão interessante: a cerimônia religiosa poderia se realizar na Itália. E ele fazia questão de ser o celebrante. Precisava apenas pedir a permissão do cardeal com quem trabalhava, dispensando os proclamas. Gabriela adorou a ideia e eu concordei. Lembrei que meu pai disse ter passado um dia maravilhoso na Cidade Eterna quando iniciou o namoro com minha mãe.

Ele também comentou que havia um lugar muito especial, onde a presença de Maria era poderosa. Recordo-me de que era um local milagroso. Pensei que, casando-me naquela igreja, poderia ter a bênção de meus pais de forma espiritual.

– Gabriela, acho ótimo que frei Antônio celebre nosso casamento. A única coisa que gostaria é de indicar o lugar da cerimônia.

Ela me olhou com curiosidade.

– Não sabia que você tinha uma igreja favorita em Roma, meu amor.

– Não é bem assim. Não se trata de uma igreja favorita, aliás, nunca estive no lugar onde pretendo que seja nossa cerimônia.

– Acho que me perdi um pouco com sua explicação. Você quer que nos casemos em um lugar que não conhece? Onde nunca esteve? – Sua voz denotava certa preocupação.

– Parece esquisito, não é?

– Um pouco.

– Vamos fazer o seguinte: hoje, ou melhor, agora, vamos até lá conhecer o lugar. Eu tenho o endereço anotado. É fácil chegar, fica próximo à Via Del Corso.

– Boa ideia. Estava querendo mesmo dar um passeio neste dia de sol. Vamos, sim.

Após namorarmos um pouco em frente à Fontana di Trevi, percorremos a Via Del Corso, onde, inevitavelmente, fizemos algumas paradas para Gabriela olhar as lojas. Ela pediu para tirar uma foto comigo em frente ao "Bolo de Noiva". Apesar da vergonha, percebi que havia um número enorme de turistas fazendo o mesmo, especialmente japoneses, então topei.

Depois, ingressamos na Via dei Santi Apostoli, caminhando até uma viela estreita e muito bonita. Lembrava-me o cenário de um filme de época, como *O candelabro italiano*. Encontramos o nosso objetivo: um portão de ferro arqueado que dava para uma pequenina igreja.

– Que coisa mais linda, meu amor!

Gabriela estava encantada com as flores que pendiam das paredes de pedra na entrada do templo em miniatura. Passava as mãos pelas plantas, olhando com apreço tudo aquilo. Não havia ninguém lá dentro, apesar da porta aberta. Ao lado da entrada, um quadro contava a história do lugar. Ela leu, traduzindo do italiano. Reconheci de pronto tudo o que ouvira de Connors.

– Vou ligar agora para frei Antônio e explicar onde estamos.

Gabriela estava preocupada com o horário, pois havíamos marcado um almoço com o frade em uma cantina da Piazza Navona para dali a alguns minutos. Como ela havia comentado que ele era um sujeito muito pontual, disciplinado ao longo de muitos anos de sacerdócio, achei que precisava avisá-lo que iríamos nos atrasar.

– Frei Antônio? Tudo bem? O senhor já chegou ao restaurante? Então, dê meia-volta e caminhe em direção à Via dei Santi Apostoli. Estamos no Paraíso! É o Santuário de Maria Santissima Causa Nostrae Laetitiae. Queremos encontrá-lo aqui primeiro para conversarmos algo bem rápido. Que bom! Estamos esperando, beijos.

Ela desligou.

– E então? Ele está vindo?

– Sim. Disse que este era um dos lugares mais amados pelo papa João Paulo II. Ele vem correndo!

Ela sorriu e, um segundo depois, ficou branca como cera.

– O que foi? – indaguei, preocupado.

– Frei Antônio?!

– Como?

– Bem ali, caminhando em nossa direção.

Ela apontou, incrédula, já recobrando a cor.

Lá vinha ele com passos calmos e um sorriso acolhedor. Apesar do tremendo calor, trajava o hábito franciscano sem derramar uma gota de suor.

– Meus queridos amigos! Nada mais apropriado do que nos encontrarmos em um lugar tão santo, não acham?

Deu um beijo na testa de Gabriela e um abraço cordial em mim.

– Como chegou aqui tão rápido vindo da Piazza Navona? – ela quis saber.

– Coisas de Deus, Gabriela! Nada com que deva se preocupar. Estava ansioso para ver o casal junto aqui, diante de Nossa Mãe da Alegria.

– Frei, gostaria que nosso casamento se realizasse aqui – afirmei. – Este lugar significava muito para meus pais. Encontraram-se aqui logo que se conheceram e começaram a namorar.

– É perfeito! Vão se casar no menor santuário mariano de Roma. Um privilégio. Precisamos de testemunhas. Vocês já pensaram nisso?

– Sim. Temos um grupo de testemunhas. Estarão todos aqui. Será o encerramento de nossa peregrinação. Como já tinha dito, estivemos rodando pela Itália e Medjugorje. As pessoas estão animadas com um final tão apoteótico! – exclamou Gabriela, muito feliz.

– Muito bem. Então vamos fazer uma oração especial antes do nosso almoço.

– Claro. Como fazemos, frei Antônio? – perguntei.

– Vocês podem se ajoelhar em frente ao altar. Ficarei atrás, com as mãos estendidas sobre suas cabeças. No início ficaremos em silêncio. Aproveitem para agradecer seu caminho e as bênçãos recebidas. Depois façam seus pedidos.

Ao fim de tudo, aproveitei para indagar:

– Frei, existe um Arcanjo da Tempestade?

– Meu amigo, onde ouviu esse nome?

– Sonhei com um ser estranho, que me aparecia no meio de uma forte tormenta. Depois, quando estive em Mostar, uma adolescente em surto psicótico surpreendentemente me disse que eu conhecera um tal Arcanjo da Tempestade.

– Frei Antônio, não era um surto psicótico. A garota estava possuída por um ser demoníaco. Rafael não crê nessa possibilidade, mas a especialista na área sou eu! – afirmou Gabriela, decidida.

– Rafael, por incrível que pareça, conheci histórias a respeito de um arcanjo que domina as tempestades. Minha mãe falava muito nele: arcanjo Rafael. O mesmo que apareceu a Tobias no Antigo Testamento.

Na hora me lembrei da história do meu nascimento, contada por Connors. Todos os fatos se encaixavam. Havia uma lógica em tudo o que eu vivenciara. Mark havia homenageado o arcanjo Rafael no meu nascimento, dando-me o seu nome, considerando se tratar de um milagre dele. Assim o fez para que o ser angélico me acompanhasse pela vida. Parecia que a criatura levara tudo a sério e resolvera me aparecer em sonho.

Resolvi agir como se tudo aquilo fosse normal, fingindo não estar espantado.

– Meu amor, temos que ir almoçar, nosso amigo já deve estar faminto. Os padres têm horários muito rígidos.

– Não se preocupe comigo, Rafael. Estou bem. Vocês é que decidem a hora e o lugar.

– Muito bem, então. Está na hora. Vamos almoçar e celebrar nosso casamento – Gabriela encerrou o assunto.

– Frei Antônio, só mais uma dúvida. Gabriela já havia se casado e se encontra divorciada. Mesmo assim é possível se casar na Igreja Católica? – perguntei, para a surpresa dela.

– Sim, pois Gabriela só foi casada no civil. Não teve um casamento religioso sob nossas bênçãos. Desse modo, aos olhos da Igreja não há empecilho nenhum.

Saímos do santuário em direção à Piazza Navona para nossa merecida refeição. Havia sido uma manhã agradável. Na parte da tarde, frei Antônio iria providenciar todos os preparativos para o casório, que aconteceria dali a dois dias.

– Preciso escolher meu vestido de noiva. E você não pode vê-lo antes da cerimônia, Rafael.

– Tudo bem. Vejo você mais tarde. Vou aproveitar e dar uma volta pelos lugares de que meu pai tanto falava. Um pouco de história me fará bem enquanto aguardo a noiva – brinquei.

Como combinado, nos encontramos à noite no hotel. Provoquei Gabriela, para ver se conseguia alguma informação sobre o vestido de noiva. Ela não deu nenhuma pista. Eu já tinha resolvido a minha parte: aproveitando a tarde livre, havia alugado um smoking.

Miguel providenciou um carro para levar a noiva. Todos os outros, inclusive eu, iriam no ônibus da excursão. Chegamos ao santuário com meia hora de antecedência. Todos me festejavam durante o trajeto. Eu estava bastante calmo. Havia uma certeza muito grande em meu coração a respeito do que estava fazendo.

Sabia que o arcanjo Rafael estaria lá, em algum lugar que eu não podia ver. Frei Antônio, como sempre, chegou de hábito franciscano, ostentando um belo sorriso. As senhoras da excursão o cercaram como abelhas no mel. Sempre solícito e bem-humorado, ele atendeu uma a uma.

Miguel sumiu. Reapareceu pouco antes das onze horas, segurando um cesto com pétalas de rosas brancas e vermelhas. Pediu que parte das senhoras formasse um corredor e cada uma ficasse com um punhado de pétalas. Assim foi feito. Ordenou que eu ficasse lá dentro, ao lado do altar. Obedeci.

– Frei Antônio, tudo pronto? Podemos dar início a nossa celebração? – perguntou Miguel.

– Ela já está aí?

– Sim. Belíssima, diga-se de passagem. Você é um homem iluminado, Rafael.

Senti a mão pesada dele sobre meus ombros e agradeci sua gentileza.

Enquanto as senhoras cantavam uma música para Nossa Senhora, Gabriela despontou sob o arco do portão de ferro. Seu vestido era clássico, com um tom de branco que parecia ter luz própria. Estava discretamente maquiada, com os cabelos presos em adereços suaves e delicados. Mas tudo servia apenas para ressaltar a beleza morena de minha noiva. Meu coração queria escapar do peito e sair ao seu encontro.

Ela começou a caminhar lentamente, olhando fixo para mim. As senhoras cantavam baixinho e, a cada passo de Gabriela, jogavam as pétalas ao alto, formando um tapete perfumado para os pés da noiva. Seu trajeto era curto, mas, para mim, parecia demorar uma eternidade.

Finalmente ela chegou até mim. Deu-me as mãos e eu a beijei na testa, como manda o figurino. Frei Antônio estava tão alegre que me lembrou o próprio São Francisco de Assis. Com sua voz mansa e solene, deu início à celebração. A pequenina casa de Deus estava lotada!

Fizemos nosso juramento e trocamos as alianças. Depois da comunhão, ajoelhei-me no genuflexório acolchoado e fechei os olhos. Imediatamente me recordei da história do rei Ezequias e do profeta Isaías, contada pelo meu pai quando eu era criança.

Depois de um breve momento em silêncio, resolvi fazer a Deus o pedido que Connors desejou ter feito por Beth: que minha esposa me acompanhasse pelo resto da vida, com saúde! Por via das dúvidas, reafirmei meu pleito à Nossa Senhora e ao arcanjo Rafael, já que aquele lugar era tido por milagroso.

Ao término da celebração, saímos pelo corredor florido, diligentemente ladeado pelo grupo. Veio uma chuva de arroz sobre nossas cabeças. Alguns grãos ficaram emaranhados em meus cabelos loiros, outros insistentemente presos nos de Gabriela.

Passando pelo portão de ferro, seguindo para o carro que havia trazido a noiva, em obediência ao clamor dos peregrinos, demos um beijo. Fomos aplaudidos por italianos e turistas que observavam tudo a distância. Alguns flashes espocaram em nossa direção e gritos incentivadores eram ouvidos em diversas línguas.

Voltamos ao Rio de Janeiro para formar um lar harmonioso e feliz! Mas logo as dores de cabeça de Gabriela retornaram e incutiram em mim um medo constante. Diante do meu envolvimento emocional, decidi que era hora de passar o caso dela a outro médico. Liguei para um colega e lhe expliquei a situação. Ele me atendeu prontamente, marcando uma consulta com Gabriela.

Depois que os novos exames ficaram prontos, não resisti em dar uma olhada. Desconfiada com minha atitude, ela se sentou na poltrona em frente para observar meu semblante.

– Então, meu amor? Medjugorje fez pelo meu cérebro o mesmo que Lourdes? – questionou ela com um sorriso.

Modo mais peculiar de se iniciar uma inquisição...

– Gabriela, você poderia ser mais clara? O que deseja exatamente que eu comente?

– Rafael, gostaria de saber se o tumor regrediu. Há dias em que penso estar melhor, outros em que me parece que tudo está piorando. Tenho sentido algumas dores de cabeça, só que não tive mais a tontura. Isso está me confundindo um pouco. Por outro lado, minha fé me diz que vou vencer esta batalha. O que você me diz?

– Estou tentando raciocinar um pouco, mas confesso que, com você me encarando deste jeito, está um pouco difícil.

– Você prefere que eu me retire da sala para poder ler melhor os laudos?

Ela começou a se levantar. Fiquei chateado comigo mesmo. Estava nervoso e queria esconder isso dela. Agora era tarde, Gabriela já tinha percebido meu estado.

– Não, meu amor. Fique, por favor. Estou um pouco nervoso com tudo o que vem acontecendo e não tenho a sua fé.

– Já que você acredita que o arcanjo Rafael costuma estar ao seu lado, peça a ele para colocar em seu coração força e coragem, para atravessar este mar turbulento comigo.

Por causa do dia a dia, minha experiência mística com o ser angélico estava ficando cada vez mais distante de mim. Ao invés de minha fé crescer, longe de Medjugorje e de Roma ela minguava.

Todos os dias lutava para encontrar um ponto de equilíbrio, para levar uma vida em paz com Gabriela. Oscilava entre a descrença e a atitude positiva. Repetia para mim mesmo que, até aquele momento, o Arcanjo da Tempestade não havia me decepcionado.

– Você tem toda a razão, Gabriela. Vou procurar fazer uma pequena oração ao arcanjo toda noite. Quem sabe isso vai me aliviar um pouco?

– Boa pedida, meu amor. Mas o que está escrito aí? É grave?

– Aqui está escrito que seu tumor continua no mesmo lugar e da mesma forma que antes. Nada mudou. Isso me faz questionar: por que as dores de cabeça são erráticas e a tontura está diferente?

– Alguma opinião médica, Rafael?

– Nenhuma, meu amor. Estou envolvido demais com você para pensar em soluções agressivas. Vou deixar para o Dr. João. Ele é ótimo neurologista e saberá como conduzir seu caso.

Guardei os exames e os devolvi a ela. Sua consulta se daria dali a dois dias.

– Não fique assim, Rafael. As tonturas devem ter mudado porque Deus me deu a graça de estar grávida.

Ela atirou a bomba como se fosse a coisa mais natural do mundo. Meu coração quase saiu do peito.

– Você está grávida?

– Sim – respondeu ela, estendendo-me o exame caseiro que havia realizado.

– Meu Deus! Que alegria!

Comecei a chorar e a abracei com força. Não sabia se as lágrimas eram só de felicidade ou se traziam todo o medo que sentia – agora, muito mais forte – pela situação que enfrentávamos.

– Não tenha medo, meu amor. Se Deus me permitiu encontrar você e ficar grávida, dará uma solução para o meu caso. Acho que Ele vai me curar. Não se preocupe, tenha fé. Lembre que Ele tem me mantido em pé durante todo esse tempo.

– Não posso negar que estou apavorado! Com o conhecimento que tenho, não dá para fechar os olhos e me atirar cegamente nos braços de Deus. Sinto muito.

– Rafael, a vida é assim mesmo. Deus quer que cresçamos cada vez mais. Este teste que está acontecendo conosco é terrível. Mas Ele quer ver como reagimos diante desta tormenta. Vamos crer que tudo está de acordo com os planos dele.

– Gostaria muito que a criança nascesse saudável e que tivesse uma mãe maravilhosa ao seu lado. Não quero perder o bebê nem ter que criá-lo sozinho. Preciso de você.

– Acredito que vamos vencer! Venha se ajoelhar aqui ao meu lado. Vamos rezar na intenção do nascimento do nosso filho e da minha cura.

O sorriso de Gabriela parecia inabalável, mas o meu era só um disfarce.

– Meu amor, por favor, reze por todos nós. Prefiro ficar um pouco sozinho. Não me leve a mal, mas quero pensar um pouco no que fazer daqui para a frente.

Gabriela não se importava em rezar sozinha. Tinha esperança de que a consolidação da fé na minha vida era questão de tempo.

Esperaria por isso e pediria a Deus até o fim de seus dias. Mais cedo ou mais tarde eu acabaria me rendendo. E, com a ajuda de meu pai, o principal já tinha acontecido: Deus havia entrado em meu coração...

CONHEÇA OUTRO LIVRO DA SÉRIE

Senhora das águas

Psicóloga experiente, Gabriela sempre tratou a religião como crendice ou truque da mente. Quando sua mãe fica doente, ela acaba se aproximando do capelão do hospital, padre José, mais em busca de apoio do que por uma questão de fé. Após o falecimento da mãe, Gabriela mantém contato com o sacerdote, confortável pelo fato de ele não procurar convertê-la.

Porém, depois de pouco mais de um mês, a psicóloga tem uma notícia devastadora: uma grave doença se alastra por seu corpo. Como lidar com a mente dos pacientes se a dela própria já não parece funcionar mais?

Ao revelar o caso a padre José, Gabriela recebe um conselho: viajar para Lourdes, uma cidade famosa pelos milagres de cura alcançados. Mesmo sem a mínima confiança e determinação, ela decide partir em peregrinação para lá.

É nessa jornada que Gabriela começa a relembrar toda a sua vida desde a infância, e assim emergem muitas questões filosóficas e existenciais. Sem saber o que a aguarda na Europa, ela sente que uma presença poderosa a acompanha e, talvez, lá possa encontrar as respostas para as dúvidas que lhe afligem a alma.

No primeiro livro de sua trilogia de ficção dedicada a Nossa Senhora, Pedro Siqueira mantém a escrita próxima do leitor sem deixar de lado assuntos profundos da espiritualidade, mas sempre mostrando que o melhor caminho está no nosso interior.

CONHEÇA OS LIVROS DE PEDRO SIQUEIRA

NÃO FICÇÃO
Todo mundo tem um anjo da guarda
Você pode falar com Deus

FICÇÃO
Senhora das águas
Senhora dos ares
Senhora do sol

Para saber mais sobre os títulos e autores da Editora Sextante, visite o nosso site. Além de informações sobre os próximos lançamentos, você terá acesso a conteúdos exclusivos e poderá participar de promoções e sorteios.

sextante.com.br